LÁZARO CÁRDENAS

Síntesis ideológica de su
campaña presidencial

ARCHIVO DEL FONDO 54-55

HILDA MUÑOZ

Lázaro Cárdenas
SÍNTESIS IDEOLÓGICA DE SU
CAMPAÑA PRESIDENCIAL

Prólogo de Renato Leduc

FONDO DE CULTURA ECONÓMICA

Primera edición, 1976

Prólogo

RENATO LEDUC

LÁZARO CÁRDENAS (*Síntesis ideológica de su campaña presidencial*) es un texto compacto y enjundioso que nos ofrece la periodista Hilda Muñoz, acuciosa investigadora que con el rigor y la objetividad de su profesionalismo se dio con entusiasmo a la minuciosa tarea de reunir en un documentado expediente un valioso material informativo y analítico que, con meridiana claridad periodística, consigna los pormenores de la gira que, abarcando la totalidad del territorio nacional, efectuó el señor general Lázaro Cárdenas durante su campaña como candidato a la Presidencia de la República.

Pero no sólo el "qué, quién, cómo, cuándo y dónde" de la preceptiva periodística rige la unidad de este documento, sino que en él se enfoca en amplia panorámica la ideología política sustentada por ese gran mexicano, analizando asimismo los propósitos que lo animaban ante cada problema que el país afrontaba en ese entonces y los medios que se proponía utilizar como finalidad resolutiva para los mismos, los que posteriormente utilizó con determinación y energía, y de cuyas realizaciones dan fe no sólo las crónicas periodísticas sino las páginas de la historia contemporánea de México.

Con la colaboración del también periodista y poeta Raúl Flores Villarreal, quien al conseguir un ordenamiento temático y cronológico del material recopilado por la autora, "armó", por así decirlo, la interioridad estructural de esta obra, Hilda Muñoz ha logrado culminar su propósito de presentar a la atención del público lector un trabajo significativo por su funcionalidad, como valioso factor comparativo entre lo que fue proyecto y lo que fue realización de un régimen gubernamental digno de la más justa valoración histórica. Viene esta *Síntesis ideológica* a acrecentar la abundante literatura sobre la personalidad, pensamiento y actuación del general don Lázaro Cárdenas... pero tiene una fuente y una finalidad originales que la propia autora revela con estas palabras: "el señalado propósito de revisión y análisis (de la personalidad y obra cardenista) con el único fin de evidenciar con nuestro subrayado su notable compatibilidad con muchas de las premisas rectoras de nuestro actual, transformador y positivo régimen de gobierno". Eso en cuanto al propósito de la obra, que en cuanto a sus fuentes la propia autora nos informa: "más que abrevar en la caudalosa corriente de la bibliografía, hemos acudido al pequeño surtidor del reporte de prensa, a la crónica que nos da en su nota diaria y concreta la imagen viva, real, nítida, tan clara como la que reproduce el espejo de las aguas en reposo del hombre que en contacto con la verdad del hecho diario, con el problema evidenciado por la precaria y dramática vivencia con un pueblo como el nuestro, buscaba y encontraba, ahí mismo, en el lugar de los acontecimientos, soluciones determinadas siempre por el más alto sentido de superación y mejoramiento".

Porque la autora no deja de recordar que fue el general Cárdenas el que estableció la costumbre de resolver o, por lo menos, de informarse y documentarse sobre los urgentes e ingentes problemas nacionales, no a través de los informes de terceras personas o funcionarios subalternos sino personalmente, sobre la marcha y en el propio terreno en que surge o existe el problema, sistema que ha llevado hasta sus últimos extremos el presidente Echeverría, quien, como el general Cárdenas, parece estar persuadido de que por bien informado que esté el alto funcionario responsable, no se da cuenta exacta de los hechos si no los encara personalmente. Pero he aquí lo que al respecto dice y opina Hilda Muñoz: "El general Lázaro Cárdenas, durante la época en que surgió como candidato a la primera magistratura de nuestro país, puso en práctica por primera vez y en busca del más efectivo contacto con la realidad, un sistema de giras de trabajo a través de la totalidad del territorio nacional." Esa gira según la autora estuvo normada por el deseo del general Cárdenas de obtener una visión de conjunto del país que iba a gobernar, una especie de panorama totalizador de datos relativos a las diversas regiones del país, muchas de las cuales estaban desvinculadas del resto de la nación no sólo en el espacio sino inclusive en el tiempo, pues vivían con un atraso de siglos... En esa forma, el general Cárdenas forjó la idea de una patria común para todos sus habitantes y así pudo realizar una política con ideas concretas de relación no sólo entre los individuos y el medio, sino incluso entre la

historia y el presente... Esta concepción cardenista de
la política o, más exactamente, esta forma cardenista de prac-
ticar la política, es una muestra de lo que la autora llama
"compatibilidad de las premisas rectoras" del actual gobierno
con el del general Cárdenas.

Induscutiblemente, el fenómeno más deprimente del panorama mexicano, aun para el observador superficial, es la
extrema miseria de las masas campesinas, en su mayoría de
aborígenes. Escribe Hilda Muñoz que en sus giras iniciales
ese espectáculo produjo al general Cárdenas "un rudo choque de conciencia" que había de ser determinante en su
política.

Esa política que fue delineando —repetimos— sobre la
marcha en el curso de esas giras... y que la autora de esta
Síntesis ideológica recogió —según nos informa— "en el
apunte cotidiano donde se recoge la actitud, el gesto, la frase lapidaria, la expresión encendida y espontánea o el emotivo discurso improvisado". En ese material de primera mano,
Hilda Muñoz ha encontrado "múltiples motivos de meditación
y estudio". Y con el material en cuestión y los comentarios
surgidos del estudio y meditación sobre sus temas, ha con-
feccionado esta *Síntesis ideológica* que aparte de la origina-
lidad y frescura de sus fuentes tendrá sin duda un inestima-
ble valor informativo para los estudiosos de esa trascendental
etapa de nuestra historia contemporánea, que fue y que sigue siendo el cardenismo.

Introducción

Los POLIFACÉTICOS aspectos de la vida de un hombre como Lázaro Cárdenas, todos ellos connotadores de su gran dimensión humana, de su innegable condición de predestinado, y particularmente los que trazan su perfil dentro de la cotidianeidad de la existencia, los elementos estructurales de su personalidad, han sido ya amplia y objetivamente consignados por sus múltiples y acuciosos biógrafos, quienes con la veracidad y el acierto del mejor pincel han trazado el retrato, la efigie, la semblanza del hombre que ha cubierto el período tal vez más dramático, trascendental e importante de la historia de México durante el presente siglo.

En copiosa bibliografía han quedado pormenorizadamente registrados, con tonalidades del mayor realismo algunas veces, y gravemente distorsionados en ocasiones, otras, las formas, los volúmenes y movimientos que integran el cuadro general de su transcurso humano, y su nombre y su obra están inscritos en el devenir de nuestra historia.

Así, su elevada condición humana, su perfil guerrero, su hoja de servicios como soldado al servicio de la patria, su decidida vocación de luchador social; su militancia política, que lo llevara hasta los más altos círculos del poder, y el ejercicio que hizo del mismo desde tales alturas; su labor de estadista y su incansable lucha en bien del pueblo y en favor de la justicia social, la indudable generosidad de su magna obra revolucionaria y transformadora en el más depurado sentido de estos términos, forman ya, de manera definitiva, parte del legado que México aporta al piramidal desarrollo del humanismo universal.

El análisis de su personalidad y de su obra, como un mosaico policromo, sigue enriqueciéndose con nuevos matices, nuevas luces y nuevos señalamientos que concurren a subrayar tal o cual característica a cual más notable y digna de consideración y estudio. Para no abundar más en los ya plurales y valiosos ensayos que de carácter biográfico o de análisis político ha merecido su carismática figura, hemos orientado nuestros propósitos hacia la idea definida de proyectar en estas páginas los alcances de su ideología político-social, que con toda propiedad lo avalan como un visionario y como un idealista que, aun siéndolo, no pierde nunca la perspectiva de la realidad, sabe conjugar en todo momento la indisoluble relación de los factores temporales y aprovecha las conclusiones y experiencias del pasado para la construcción de un presente en constante proceso de perfectibilidad y para la delineación de un futuro cuya realización, en nuestros días, es la más evidente demostración de la vigencia de sus ideas y de la amplia visión que las animó.

El carisma cardenista no declina. Hombre de su tiempo y de nuestros tiempos, Lázaro Cárdenas sustenta una ideología política que se anticipa a la fugacidad del momento, al acontecer de una existencia conjugada en presente, para trascender hasta la incontenible evolución social y política que nuestro turbulento siglo xx aún está testificando, y es tan patente la vigencia de sus postulados, que de su avanzada conceptuosidad se deriva este señalado propósito de revisión y análisis, con la finalidad única de evidenciar, con nuestro subrayado, su notable compatibilidad con muchas de las premisas rectoras de nuestro actual, transformador y positivo régimen de gobierno, y comprobar una vez más que nuestro medio propio, de suyo tan caracterizado y diferenciado, produjo a través de un hombre, Lázaro Cárdenas, un postulado político que se adelanta a su tiempo.

Más que abrevar en la caudalosa corriente de la bibliografía, hemos acudido al pequeño surtidor del reporte de prensa, a la crónica que nos da en su nota diaria y concreta la imagen viva, real, nítida, tan clara como la que reproduce el espejo de las aguas en reposo, del hombre que en contacto constante con la verdad del hecho diario, con el problema evidenciado por la precaria y dramática vivencia de un pueblo como el nuestro, buscaba y encontraba ahí mismo, en el lugar de los acontecimientos, soluciones determinadas siempre por el más alto sentido de superación y de mejoramiento.

En el apunte cotidiano donde se recoge la actitud, el gesto, la frase lapidaria, la expresión encendida y espontánea o el emotivo y profundo discurso improvisado, hemos encontrado múltiples motivos de meditación y estudio e incontables manifestaciones con las que Lázaro Cárdenas expresó con lúcido realismo, directamente ante el pueblo y su difícil y accidentado devenir, la profunda verdad de su sentir y de su pensamiento justiciero, renovador y visionario.

I. Patria y nacionalidad

Ante el convencimiento de que la mentalidad del político, del estadista, se integra no con juicios abstractos, aislados o parciales, por profundos o aparentemente constructivos que éstos puedan ser, sino con ideas concretas de relación entre los hechos y las cosas, entre los individuos y el medio, entre la historia y el presente, el general Lázaro Cárdenas, durante la época en que surgió como candidato a la primera magistratura de nuestro país, puso en práctica por vez primera y en busca del más efectivo contacto con la realidad, un sistema de giras de trabajo a través del territorio nacional.

La gira que el general Lázaro Cárdenas realizó por el país no tendría una significación tan valiosa como la que alcanzó, si no la hubiese motivado el deseo de componer en su propia mentalidad una visión de conjunto nacional, un panorama capaz de totalizar los múltiples aspectos de las diversas regiones, muchas de las cuales vivían una existencia prácticamente autónoma, desvinculadas del resto de la nación y sumidas en ocasiones en un atraso de siglos.

La idea de una patria común para todos sus habitantes, de una nacionalidad en el sentido más cabal del concepto, señoreó las actividades del general Cárdenas en el curso de su viaje por todas las comarcas de la república. De las observaciones realizadas, del rudo choque de conciencia derivado de la contemplación de las comunidades aborígenes de Chiapas, de la Mixteca, de la Sierra Tarahumara; de la constatación personal de injusticias y medros consumados por las clases privilegiadas en perjuicio de las clases proletarias; de la percepción de la demanda popular, hondamente humana, que exigía una redistribución equitativa de las riquezas públicas, el general Cárdenas extrajo su concepto de la patria y la nacionalidad.

"La patria —dijo— no es una simple eclosión de entusiasmo sino más bien, y sobre todo, el disfrute en común de las riquezas de un territorio."[1]

---

[1] Discurso de 6 de marzo de 1934, en Emiliano Zapata, Tab.

No se trata, pues, de la vieja idea sentimental y retórica de la patria; no se trata del concepto liberal, propicio para encender en el alma de los hombres una flama lírica, pero vacío del sentimiento trascendental que se fundamenta en la realidad misma y se inspira en el anhelo colectivo de superación del tipo medio de la vida.

Este nuevo concepto de la patria es materialista, realista, sociológico; propio para alcanzar la satisfacción de las necesidades vitales de los hombres, pleno de sentido histórico y cimentado en la observación sistemática de las circunstancias en que se desarrolla y norma la convivencia humana; rígidamente sometido al afán de obtener más justas y mejores formas de vivir.

Con frases exactas el general Cárdenas dio estructura a su pensamiento: "Formar una nueva patria que justifique la sangre derramada en nuestras contiendas interiores, es lo que ha querido la Revolución Mexicana"; [2] para agregar más tarde: "...un México mejor organizado política, social y económicamente." [3]

La definición real, profunda, del concepto de patria y nacionalidad, se debe a la Revolución. En los vaivenes y movimientos que se producen desde que América nace al conocimiento del mundo occidental, México ha presenciado diversas integraciones y desintegraciones de carácter territorial. Durante la dominación española, la Nueva España estaba dividida en Capitanías Generales con una vida autónoma limitada y sujeta al poder del representante del rey. Al consumarse nuestra independencia, simultáneamente logran la suya los actuales países de Centro América, que se agregan circunstancialmente al nuestro. Sin formar una nacionalidad y mucho menos una patria, la extensión territorial de México es entonces enorme; baja desde la actual California norteamericana, Texas, Arizona, Nuevo México y parte de Colorado, hasta el país sudamericano de Colombia. Sin embargo, esta vasta agregación de tierras no tiene más ligamentos que un débil eco espiritual: la comunidad de origen indoibero. Ningún nexo positivo, ninguna relación económica, ninguna interdependencia social existe entre las numerosas y distantes poblaciones de ese gran cuerpo continental. Es así como bien pronto México ve sin dolor, sin convulsiones, que la acumulación se disuelve y los límites del país se confinan dentro

[2] Discurso de 6 de marzo de 1934, en Emiliano Zapata, Tab.
[3] Discurso de 24 de junio de 1934, en Chihuahua, Chih.

de las zonas en que la vida económica y social pueden formar una unidad. Empero, todavía resta al país el desgarramiento territorial que se produce con la proclamación de independencia de Texas, con los logros que los Estados Unidos obtienen de la Guerra del 47 y con la venta de La Mesilla, consumada por Santa Anna.

Años después, defienden los hombres de la Reforma un territorio más coherente, que empieza a tomar fisonomía de la nacionalidad precisamente con las prédicas libertarias y en el que, poco a poco, van arraigando entre todas sus poblaciones nexos de interdependencia económica. Pero es la Revolución el movimiento social que penetra a los móviles más hondos del concepto vital de patria. Es la Revolución la que asigna a la organización económico-social de las colectividades la conciencia unitaria que debe poseer.

Es ella también la que vincula el dolor y los anhelos de las generaciones presentes con las nobles luchas de las pretéritas. Nace de aquí el fructífero sentido de la continuidad histórica de la Revolución, nace también una activa solidaridad conceptual que ha derivado su profunda conciencia de los dictados de la realidad.

Es por todo esto que el general Cárdenas, refiriéndose en concreto a los cinco lustros dentro de los cuales la Revolución nació y vio consumado su triunfo, dijo ante la Convención de Querétaro: "La Revolución y las instituciones de ella emanadas, son obra de las distintas generaciones que en 1910 sacudieron la dictadura de treinta años; que en 1913 reivindicaron la soberanía nacional e iniciaron las reformas sociales, y que en 1928 instauraron el régimen institucional a cuyo influjo estamos aquí reunidos." [4]

En diversos actos ocurridos durante la gira, sobre todo en ocasiones en que la memoria de los padres y caudillos de la nacionalidad estuvo particularmente presente, como en Dolores Hidalgo, como en San Cristóbal Ecatepec (sitios en que se yerguen todavía las figuras de Hidalgo y Morelos), el general Cárdenas pudo dar un alcance más alto a sus palabras de Querétaro: "...me considero unido, en acción y en responsabilidad, a todos los viejos luchadores que, con su esfuerzo, contribuyeron y siguen contribuyendo a crear un estado social nuevo y un régimen de tendencia salvadora." [5]

[4] Discurso de protesta como candidato presidencial, 5 de diciembre de 1933.

[5] Discurso de protesta como candidato presidencial, 5 de diciembre de 1933.

Aprovechar las experiencias del pasado; honrar la memoria de los grandes hombres en la pervivencia de su obra; trabajar por que los aborígenes salgan del légamo de siglos en que viven sumidos para incorporarse al cuerpo social y político de la nación; vincular con ésta aquellas zonas que ahora parecen desprendidas del macizo territorial: las penínsulas de Yucatán y de la Baja California; tender entre todos los habitantes del país una abigarrada red de comunicaciones y barajarlos en una continua interrelación económica; fijar con claridad la misión de gobernantes y gobernados para lograr una más justa distribución de los dones naturales dentro de una organización socialista de la colectividad, y tender los puentes para el paso de un futuro en el que todas estas ventajas se consoliden y perfeccionen, son los deberes que el general Cárdenas deduce de sus nuevos conceptos de nacionalidad y patria.

Como hombre que lleva en la mente un mapa-relieve de la república y sabe que no puede afectarse parte alguna de ella sin influir en su conjunto, el general Cárdenas pensó que "no es una nacionalidad aquel país que no garantiza a todos sus habitantes el derecho a la vida; y no forman una patria más que aquellas colectividades unidas por el trabajo productivo, inspiradas en un propósito de justicia social para el presente y para el futuro, y asentadas en una fecunda tradición".[6]

[6] Conversación en la ciudad de Dolores Hidalgo, Gto.

II. Hacia una democracia social

El ANHELO renovador del país debe expresarse, primordialmente, en la estructura más importante de la vida nacional: el régimen de gobierno, cuya forma, consagrada por la ley constitucional, garantice parejamente el derecho del individuo y el derecho de la colectividad, coordine uno y otro y provea el desarrollo de finalidades sociales.

La Constitución de 1917 establece instituciones de gobierno que se han acomodado a las necesidades públicas y que no parecen reclamar pronto cambios sustanciales. No obstante, para que los mandatarios no constituyan una preeminencia que no les corresponde; para que las clases proletarias, debidamente representadas, residan en la esfera del poder y preparen el advenimiento total del orden de la equidad y la justicia, son necesarios cambios fundamentales en la orientación y marcha de nuestras instituciones.

Con el "Mensaje presidencial" de 28, cuyos principios pudieron dominar las contingencias de la última guerra civil y se han venido refrenando por el ejercicio pacífico del poder público, quedó asegurado el valimiento de la ley sobre la pasión de las facciones. En la campaña electoral, el país propugnó la mutación de la democracia política, que hasta hoy ha regido la vida pública, por una democracia social.

Las señales más características de esta nueva democracia se encuentran, de acuerdo con la doctrina de la Revolución Mexicana, en la función reguladora del Estado y en el arribo de las colectividades proletarias organizadas al usufructo de las fuentes de riqueza.

Apartándose la tesis mexicana por igual del liberalismo clásico que del comunismo soviético, el Estado no sustituirá al actual empresario constituyéndose en Estado-patrón, ni será impasible espectador de la lucha económica, sino que intervendrá en todos los aspectos de la producción y del consumo, de la cultura y de la educación, rigiéndolos de acuerdo con una norma preconcebida que en el caso presente es el "Plan Sexenal".

La más concisa definición de la postura del socialismo mexicano se encuentra en los conceptos lapidarios del general Cárdenas: "Al pueblo mexicano ya no lo sugestionan las frases huecas de 'libertad económica', porque sabe que la primera representa la dictadura clerical; la segunda, la dictadura de la reacción, que trata de oponerse a la labor del régimen revolucionario en detrimento de la cultura del pueblo; y la tercera, la dictadura capitalista, que se opone al aumento del salario y a que el Estado intervenga en la distribución de la riqueza pública en beneficio de los principales productores, que son los trabajadores mismos." [1]

Las tres realidades de la nueva democracia

Ahora bien, ¿cuáles son los órganos de expresión y los instrumentos de esta nueva democracia social? Sin que el régimen constitucional haya variado, sin que tenga necesidad de variar, el pueblo ha encontrado, por la experiencia de los últimos años, tres aspectos de realidad para la dirección de su existencia. La primera de ellas es la Revolución, erigida en proceso permanente y autora de esas profundas eclosiones de la masa que, de tiempo en tiempo, influyen decisivamente en la fisonomía del país. Negar la existencia de la Revolución como patrimonio indivisible del pueblo mexicano, a través de todas las etapas de su historia, es negar a la patria misma. El Partido Nacional Revolucionario es la segunda realidad de la nueva democracia; como órgano normal de la Revolución, como agente de transformación en la dinámica de la existencia cotidiana, como órgano, en fin, de equilibrio, de balance, destinado a evolucionar permanentemente hasta dar paso franco a la constitución de partidos de clase. El gobierno, institución estable por naturaleza y por necesidad, es la tercera realidad en la cual ha de plasmarse la nueva democracia.

Las finalidades del gobierno, por cuanto hace al siguiente período constitucional, estaban fijadas en el "Plan Sexenal" del Partido Nacional Revolucionario, documento que al condensar las experiencias y anhelos del pueblo hará que en lo futuro la obra de la administración pública se encuentre perfectamente identificada con la obra del partido y con la Revolución.

El general Lázaro Cárdenas concibe la función del gobier-

[1] Discurso de 10 de mayo de 1934, en Taxco, Gro.

no como una función unitaria en la que deben aunarse cabalmente los recursos humanos del país, particularmente los obrero-campesinos, los representantes populares, los mandatarios locales y federales. De este concepto emanan la doctrina de la unidad de la Revolución, por una parte, y la de la cooperación cerca del gobierno, por la otra.

Unidad para el frente revolucionario

En su recorrido por el país, el general Cárdenas anotó con toda minuciosidad las divergencias existentes entre unas y otras colectividades locales, las distancias que se han creado entre aquellas administraciones progresistas, sinceramente revolucionarias, y otras que mantienen los problemas sociales y económicos en un *statu quo* indefinido, cuando no es que favorecen directa o indirectamente pasos de retroceso. "Como regla general —dijo el entonces presidente electo— puede afirmarse que no hay unidad de ninguna especie en las medidas de gobierno que se adoptan en las distintas entidades de la república. Esta anarquía abarca todos los órdenes de la vida social: mientras en un estado se dictan medidas proteccionistas para la agricultura y la ganadería, en otros se cobran gabelas que hacen incosteables esas ramas de la productividad. En tanto que hay gobiernos locales que desarrollan una política obrerista con tendencias al alza de salarios, otros muchos inclinan decididamente sus preferencias por el capital y lo patrocinan eficazmente. Igual observación puede hacerse en materia de agrarismo, de cooperativismo, de salubridad, de instrucción pública. Existe un verdadero 'mosaico de criterios' que lesiona profundamente nuestra economía y que produce un fenómeno político todavía más grave: el aislamiento de aquellas entidades en que se realiza efectivamente una obra revolucionaria. Los gobiernos que dictan medidas avanzadas para beneficiar al obrero y al campesino, para combatir el fanatismo y el vicio de la embriaguez, se convierten inmediatamente en blanco permanente de los ataques de la reacción, que se ceba en tenaces campañas de prensa, en calumnias y hasta en injurias." [2] Más tarde, el general Cárdenas, al exhibir en público ese "mosaico de criterios", pronunció su frase categórica: "La Revolución debe tener un solo frente de lucha en toda la República." [3]

[2] Conversación en el trayecto ferroviario de Matamoros, Tamps., a Los Herreras, N. L., en junio de 1934.

[3] Discurso de 19 de junio de 1934, en Saltillo, Coah.

Convencido de la necesidad de que el régimen revolucionario uniformara sus procedimientos en todo el país, el general Cárdenas fue particularmente estricto en cuanto se refiere a la calidad y atribuciones de los funcionarios públicos. Ante la Convención de Querétaro, declaraba: "Lo esencial, para que puedan realizarse en toda su integridad, y con la amplitud que se requiere, los postulados sociales de la Constitución general de la república y las fórmulas de coordinación social contenidas en el 'Programa de gobierno' del Partido Nacional Revolucionario, que acaba de aprobarse, es que, cumpliéndose los principios anteriormente considerados, se verifique una plena interpretación revolucionaria de las leyes, por hombres que sinceramente sienten la Revolución; que sean plenamente conscientes de su responsabilidad; que tengan verdadero cariño a las masas proletarias, y abarquen ampliamente el espíritu y la conciencia histórica que inspiraron las normas y doctrinas que ha sustentado el pueblo en sus luchas generosas, para que, de esta manera, las ejecuten con resolución y plena honradez a fin de lograr el progreso colectivo. Porque, si en el seno de una administración pública los hombres llamados a colaborar en su desarrollo actuaran con divergencia de criterio, sin ideología común y sin disciplina para llenar su fin, llevarían al fracaso indiscutible a la mejor de las ideas y al más bien meditado sistema de acción. Hay, pues, que insistir, y nunca será bastante, en que toda función social, para ser realidad palpable, requiere caracteres disciplinados a su servicio; voluntades prontas; personalidades definidas y hombres de acción." [4]

Los deberes del gobernante

"Haré —declaró el general Cárdenas en el puerto de Veracruz— un gobierno de orden esencialmente revolucionario y estrictamente moral",[5] concepto que había tenido señalado antecedente en la frase: "haré un gobierno de amigos, no para los amigos",[6] y que en el curso de la campaña encontró insistentemente ratificación con promesa formal de eliminar de los rangos gubernativos todo intento de medro y de concupiscencia.

[4] Discurso de protesta como candidato presidencial, 5 de diciembre de 1933.
[5] Discurso de 10 de febrero de 1934 en el puerto de Veracruz, Ver.
[6] Declaraciones de 14 de enero de 1934, en Toluca, Méx.

"No debemos —dijo el general Cárdenas al clausurar su actividad electoral— dar por terminados los compromisos de la Revolución, la que debe usar del poder para la depuración y renovación constante de sus hombres y de sus principios, obrando con el mismo espíritu de sacrificio y de limpia intención que se tuvo en los momentos de combate por la destrucción del viejo régimen. Para ello es indispensable en los hombres públicos la misma honestidad que la impuesta en los días iniciales." [7] Las sólidas bases para la realización del postulado de moralidad administrativa fueron colocadas en la campaña electoral misma, "campaña que no tuvo empresarios ni banqueros, ni está dañada por compromisos con el extranjero, ni guarda nada a espaldas de las masas mexicanas",[8] y que tampoco presenta "compromisos con ningún caudillo victorioso".[9]

En su gira, el general Cárdenas no escatimó su consejo de amigo ni su voz admonitoria, ni su censura franca para corregir defectos de funcionarios públicos, para aconsejar la adopción de actitudes que libraran el país de los vicios del caciquismo, la arbitrariedad, las mezquindades burocráticas. El gobernante es un servidor de la colectividad y olvida sus deberes cuando no tiene "la inteligencia necesaria para administrar los intereses de su pueblo y se convierte en gobernante de facción".[10]

El funcionario público está obligado a rendir cuenta constante de su gestión ante el pueblo.

En una asamblea gremial de trabajadores, en la que se presentaron quejas y acusaciones contra algunas autoridades subalternas, el general Cárdenas expresó: "La celebración de estos plenos proletarios, que debemos considerar como tribunales populares, es indispensable para que los trabajadores puedan exponer los problemas que los afectan. Cuando tuve el honor de gobernar el estado de Michoacán, gocé de la oportunidad de oír en las asambleas a muchos representantes de organizaciones municipales y distritales que denunciaban, en forma enérgica, complicidades en contra de la Revolución y concretaban sus quejas respecto de algunos elementos que compartían conmigo las responsabilidades de gobierno. Esa actitud fue siempre aplaudida por mí, ya que me permitió corregir abusos y remediar atropellos en los

[7] Manifiesto de 30 de junio de 1934, en Durango, Dgo.
[8] Declaraciones de 14 de enero de 1934, en Toluca, Méx.
[9] Manifiesto de 30 de junio de 1934, en Durango, Dgo.
[10] Discurso de 29 de enero de 1934, en Puebla, Pue.

que yo no tenía más culpa que ignorarlos. Tuve así constantemente la oportunidad de conocer, en esos tribunales del pueblo, manifestaciones sinceras de su situación y de sus deseos." [11]

En suma, se pide al pueblo una vigilancia inexorable sobre los actos de sus gobernantes, y "el general Cárdenas exige de sus partidarios que conserven limpias sus manos de sangre y de codicia, que cooperen efectivamente en el provecho de la causa revolucionaria y que, en esfuerzo unánime, destierren de México la imposición de los egoísmos para estrechar los lazos de la fraternidad".[12]

Y es en tal forma imperiosa, según el concepto del presidente electo, la obligación del gobernante hacia las organizaciones proletarias, que su palabra se matizaba de ardiente indignación cuando sabía de maniobras gubernativas que conducían al divisionismo intergremial: "El general Cárdenas pide a los gobiernos locales mayor respeto para las agrupaciones sociales organizadas, con frecuencia castigadas por gobernadores a quienes sólo anima el deseo de que sus antecesores no sean ya padres de ellas. Esta conducta debilita las fuerzas de la Revolución. El gobernante no sólo tiene la obligación de conservar la dignidad moral de las organizaciones sino fomentarla y robustecerla, porque un sindicato no puede ser, ni es, obra de uno o de varios individuos sino obra de la Revolución." [13]

Gobierno de acción

El general Lázaro Cárdenas no sólo se detuvo en la definición de los deberes del gobernante sino que acudió a los pormenores mismos de las actividades administrativas, para señalar yerros y marcar nuevas rutas. Con gran énfasis, el entonces presidente electo anunció el abandono de los sistemas gubernativos tradicionales a cambio de la adopción de un gobierno de realidades, de acción, que aprovechara en su más alto grado de eficiencia las ventajas de la orientación técnica: "Para hacer que la justicia de la Revolución —dijo— llegue a todos los rincones del país, para dar atención a los problemas ingentes de nuestras masas, es preciso una nueva orientación en los servidores públicos; que los técnicos, que

[11] Discurso de 29 de enero de 1934, en Puebla, Pue.
[12] Declaraciones de 14 de enero de 1934, en Toluca, Méx.
[13] Declaraciones de 14 de enero de 1934, en Toluca, Méx.

los intelectuales revolucionarios, se dediquen en sus gabinetes al estudio de las cuestiones que les sean planteadas, para que las autoridades ejecutivas, desde el Presidente de la República y los gobernantes de los estados hasta el más humilde presidente municipal, recorran constantemente las regiones encomendadas a su responsabilidad según sea su jurisdicción; que atiendan las peticiones de las colectividades y de los ciudadanos, y que de esta manera sea como los encargados del poder vayan a resolver los problemas que se presentan, conquistando la cooperación popular e impartiendo justicia. Sólo así podrá realizarse el vasto programa que la Revolución nos ha encomendado." [14]

En un discurso ante un pleno de comunidades agrarias, el general Cárdenas manifestó que para cumplir el "Plan Sexenal", sería indispensable "que ejecuten una labor de conjunto todas las dependencias de la administración pública; que los ciudadanos presidentes municipales hagan frecuentes recorridos en el territorio de su jurisdicción, para que se den cuenta de la verdadera situación de los pueblos, corrijan abusos y estimulen a los ciudadanos; que cumplan su deber, impulsando con su consejo y conocimientos todas aquellas fuentes de producción agrícola e industrial que puedan aprovecharse en la región que recorran". "Hemos visto —agregaba— poblaciones en que no conocen al diputado que las representa y poblados de un municipio en que no llega a presentarse el presidente municipal en todo el tiempo de su ejercicio, actitud que hace que los encargados de la administración ignoren los problemas y necesidades de los pueblos." [15]

El programa de moralización en párrafos anteriores, y los preconizados sistemas de gobierno sustentados en la realidad y la acción, urgen de la inaplazable decisión de hacer eficientes los servicios públicos, con el mínimo de costo presupuestal y con eliminación implacable de todo lo superfluo en bien de lo necesario. Con igual vigor se expresó, en este punto, el presidente Cárdenas: "El 'Plan Sexenal' necesita la cooperación de todos los encargados de la administración pública, haciendo que se supriman los gastos inútiles; reduciendo el número de empleados, cuando sea excesivo, para que las economías que se logren vayan a aumentar los presupuestos de educación, comunicaciones y otros ramos, procurando, sobre todo, que se suspendan los impuestos injustificados que

---

[14] Discurso de 17 de junio de 1934, en Monterrey, N. L.
[15] Discurso de 15 de abril de 1934, en Santa María del Tule, Oax.

se hacen efectivos en los centros indígenas y las cuotas onerosas que impiden el desarrollo de la agricultura, la ganadería y las industrias." [16]

Una observación concienzuda de la marcha de las oficinas públicas, llevó al general Cárdenas al convencimiento de que pueden introducirse en ellas importantes ahorros, cuyo producto debe aplicarse a las obras que reclama imperiosamente el país "...ahorrándose (en las nóminas burocráticas) considerables sumas para el impulso de las obras de irrigación, para las carreteras, para la educación pública, ya que en ranchos y serranías, en todos los rincones de la patria, el pueblo está ansioso de escuelas que logren que la nueva generación surja mejor preparada para luchar con ventaja en la vida cada vez más difícil." [17]

La designación del personal del gobierno

Para crear un gobierno de acción, moral y eficiente, es factor de enorme importancia el personal que ha de realizar desde las oficinas públicas los propósitos de la Revolución.

La constitución especial de nuestros gobiernos nunca ha permitido que al personal burocrático se le conceptúe como personal técnico, inamovible, a semejanza de lo que ocurre en países conservadores o de muy lenta evolución. Sea en uno o en otro sentido, sea para preservar las viejas prebendas de clérigos y latifundistas, sea para imponer las conquistas del pueblo, nuestras administraciones han recorrido siempre rutas radicales que les exigen, como primera condición de vivencia, hacer gobierno con hombres de partido, con hombres que definieron debidamente sus convicciones y su lealtad y resueltos de grado a correr la suerte del régimen.

Los lustros que en el ejercicio del poder tiene la Revolución Mexicana, le permiten ya iniciar dentro de las filas administrativas una política de estabilidad del personal civil, "pero esta medida —ha dicho Cárdenas— no puede adoptarse en definitiva si no es con una previa depuración que elimine a los enemigos emboscados, a los ineptos, a los revolucionarios de tibia convicción. Debe hacerse una selección cuidadosa del personal administrativo, pensando que tienen derecho para ocupar los puestos públicos aquellos hombres ameritados en la lucha. Que sean revolucionarios verdaderos los que den

[16] Discurso de 15 de abril de 1934, en Santa María del Tule. Oax.
[17] Declaraciones de 10 de mayo de 1934, en Taxco, Gro.

honor y prestigio al gobierno. Y será después de esa selección, hecha a base de criterio revolucionario y conforme a la capacidad y a los conocimientos técnicos de cada individuo, cuando la república cuente con un personal de servidores eficientes." [18] El general Cárdenas, se informaba en ese entonces, "integrará su gobierno con revolucionarios sinceros, honrados y preparados, ya sean éstos pertenecientes a la generación que inició la lucha armada, ya sean jóvenes probados en el cumplimiento del deber".[19]

Por otra parte, el deseo de que las oficinas públicas sean purgadas de elementos clericales, huertistas y reaccionarios, es tan viejo como la Revolución misma: parte del momento en que ésta tomó en sus manos los instrumentos del poder y se ha renovado periódicamente. En la campaña electoral se hizo evidente que el anhelo de que la Revolución sea servida en el gobierno por revolucionarios, es profundamente popular. Obreros, campesinos, asalariados de las clases medias, miembros de las vanguardias de choque en la lucha armada, organizaciones femeniles, en fin, lo solicitaron así con insistencia al general Cárdenas, debiendo citarse entre otros memoriales al respecto, el que presentó en Villa Cuauhtémoc, Chih., el Bloque de Mujeres Revolucionarias "Juan Sarabia".

Acceso de los proletarios al poder público

Ciertamente es de mucha importancia que los cargos públicos sean ocupados por hombres que militaron en la Revolución; pero lo es en mayor grado que empiecen a ocupar el poder los representantes auténticos de las clases trabajadoras, a fin de que éstas se entrenen en las responsabilidades del gobierno y allanen el camino para la pronta implantación de instituciones netamente populares. El pensamiento del general Cárdenas fue categórico en la materia de que hablamos. Reconoce, en primer término, que el proletariado obrero y campesino, a través de sus organizaciones, tiene —como ya quedó expresado— un rol de vigilancia, de supervisión de la labor gubernativa: "Deben ustedes organizarse —expresó con insistencia el general Cárdenas, dirigiéndose a los trabajadores— para que estén en aptitud de exigir a las autoridades de todo el país, de exigirme a mí mismo, el cumplimiento del 'Plan

[18] Declaraciones de 10 de mayo de 1934, en Taxco, Gro.
[19] Declaraciones de 21 de mayo de 1934, en Tlaltizapán, Mor.

Sexenal' y de las promesas de la Revolución a las clases proletarias." [20]

Mas no pide el general Cárdenas a los trabajadores sólo esa actitud de sagaz expectación, sino que los urge a que participen activamente en las responsabilidades del poder: "Siempre he querido —dijo el general Cárdenas— que los obreros y campesinos organizados tengan el poder en sus manos a fin de que sean los más celosos guardianes de la continuidad de la obra revolucionaria, exigiendo el cumplimiento de las leyes avanzadas y combatiendo, si es necesario, a los malos funcionarios que se apartan de ellas. Siempre encontrarán en mí los trabajadores de mi país un amigo y defensor. Cuando tuve el honor de dirigir los destinos del estado de Michoacán, la inmensa mayoría de las autoridades municipales y de los puestos representativos en la legislatura local fueron entregados a los trabajadores organizados... Uno de mis mayores anhelos —añadía— es que las clases trabajadoras tengan abiertas francamente las puertas del poder, pero para ello es necesario que se organicen, disciplinen e intensifiquen su acción social, no dentro de una esfera limitada sino abarcando todas las actividades de la colectividad y contando con la cooperación de la mujer y de la juventud, puesto que sólo así las clases trabajadoras compartirán las responsabilidades que se les han señalado y es sólo así como lograrán su emancipación integral." [21]

De igual manera es terminante, en la expresión de esas ideas, la siguiente declaratoria: "El general Cárdenas nos ha dicho que se entregará de lleno, de una manera franca, abierta, con un sentimiento radical, a los obreros y a los trabajadores del campo, que son quienes han demostrado que lo sostienen y que son quienes lo defenderán mañana, yendo a todos los puestos de elección popular, desde los más humildes hasta los más encumbrados; que ellos, que tuvieron el prestigio de derramar su sangre en nuestro movimiento libertario, en los fuertes de Loreto y Guadalupe o en la vieja casona de Aquiles Serdán, gozarán el derecho de ocupar los sitiales de las Cámaras, a fin de devolver a los hombres de su clase la fe y la confianza..." [22]

[20] Declaraciones insistentemente repetidas en todos los mítines y actos cívicos.
[21] Discurso de 10 de mayo de 1934, en Campeche, Camp.
[22] Declaraciones de 25 de abril de 1934, en Puebla, Pue.

La doctrina de la cooperación pública

A lo largo de los cuatro rumbos cardinales, la voz del general Cárdenas hizo un llamamiento a la cooperación pública para el cumplimiento de los altos fines del "Plan Sexenal".

Convencido de la bondad del histórico documento, plenamente seguro de que significaría en la realidad el bien de la patria, el general Cárdenas deseó que de ser el programa de un partido, pasara a ser un programa nacional y se constituyera en el vértice de la voluntad de todos y cada uno de los habitantes de México. Este llamamiento es de médula socialista. Trata de que concurran a la realización de ese nivel inicial, todos los elementos que vivifican la economía, sin excluir la mujer ni la juventud y haciendo incluso que la niñez se eduque dentro de la gran aspiración nacional. Unificados todos los sectores de la sociedad alrededor del programa común, que será el "Plan Sexenal", quedan abiertas, a un solo paso más allá, amplias perspectivas de lucha.

"Quiere el general Lázaro Cárdenas que la organización se prosiga sin descanso, porque desea que la república presente una conformación definida, política, social y económicamente. Quiere el general Cárdenas que todos los grupos sociales se organicen en sendos sectores de acción, no importa los choques que de éstos puedan sobrevenir... Cuando el general Cárdenas predica la organización de todos los productores, formula una clara tesis sociológica. No sería posible que el burgués y el obrero formaran parte del mismo sindicato o de la misma unión, aunque sí lo será que ambos coincidan en apoyar determinados puntos del programa gubernativo. Que los obreros se organicen de acuerdo con su matiz de pensamiento, de acuerdo con sus intereses profesionales, y que igual cosa haga el empresario industrial y el poseedor de la tierra: la lucha económica y social ya no será entonces la diaria e inútil batalla del individuo contra el individuo, sino la contienda corporativa de la cual ha de surgir la justicia y el mejoramiento para todos los hombres."[23]

La finalidad ulterior de la doctrina de la cooperación pública, se encuentra consignada en los siguientes términos: "Es alentador —expresó el general Cárdenas— observar cómo se está consolidando en nuestro país la vida institucional y cómo son desplazadas las actividades bélicas para ser sustituidas con el ejercicio de la democracia... La organización social y política de México gana terreno cada día y ante

[23] Declaraciones de 7 de marzo de 1934, en Jonutla, Tab.

esta realidad se afirma mi propósito de dar al pueblo, en el próximo sexenio constitucional, una educación cívica que le haga interpretar debidamente sus obligaciones y sus derechos, a fin de que desaparezcan todas las divisiones debidas a causas distintas de las ideas y de los principios."[24]

Si la doctrina que analizamos alcanza la actitud generalizadora y futurista que expresan las anteriores palabras, no por ello deja de tener aplicaciones inmediatas. De manera señalada se dirige a censurar, y procura corregir, el perpetuo e infecundo desgarramiento en que viven las colectividades de la provincia, preocupadas por causas casi siempre baladíes, divididas por mezquinas intrigas y locales politiquerías.

Resta analizar sólo el aspecto democrático que comporta el ingreso de las nuevas generaciones a los rangos del poder. La Revolución mantiene en ese punto la doctrina que expresó, en memorable ocasión, el general Plutarco Elías Calles. El general Cárdenas, por su parte, renovó ese propósito, señalando desde los primeros días de su campaña la conveniencia de "fomentar el generoso impulso de la juventud, haciendo que se prepare para sucedernos en nuestras posiciones de lucha y para regir, en el futuro, los destinos de la República".[25] Sólo que para que esto se logre, precisan combinarse los caminos de la educación y de la organización; el primero, para forjar el sentido de responsabilidad de la generación juvenil, y el segundo para encauzarla desde luego en la acción social.

La función del PNR

"El Partido Nacional Revolucionario —dice el general Cárdenas— fue creado con sinceros propósitos de fraternidad colectiva; con sanas intenciones de encauzar la opinión de las masas, y con el fundamento lógico de mantener la unidad revolucionaria en todos aquellos momentos en que la efervescencia de las pasiones o de los intereses mezquinos de los hombres, pretendieran superar los nobles derechos y prerrogativas de la colectividad. Sus tendencias, como organismo político, fueron claramente establecidas para fomentar la función cívica electoral y garantizar la autenticidad del voto, eliminando conflictos innecesarios entre los com-

[24] Discurso de 3 de junio de 1934, en Pachuca, Hgo.
[25] Discurso de protesta como candidato presidencial, 5 de diciembre de 1933.

ponentes del ideal revolucionario, y mantener, dentro de su seno, como garantía de éxito, una celosa disciplina de principios, de procedimientos, para no permitir el menoscabo y decadencia de la idea de la Revolución; y cualesquiera que hayan sido los errores circunstanciales de esta agrupación nacional, ella representa, sí, la fuerza organizada de la Revolución y es el medio a propósito para desarrollar sus tendencias, así como para realizar los propósitos revolucionarios que predominen en el pensamiento director del gobierno de la nación."[26]

La función dinámica que se confía al PNR dentro de la triple alianza de este instituto, la Revolución en proceso permanente, y el gobierno, queda concretada en las siguientes palabras: "Los gobiernos emanados de la Revolución deben dedicarse a administrar, a trabajar en un plano social y económico, y deben dejar la política electoral bajo la responsabilidad del Partido Nacional Revolucionario... Establecemos un distingo entre los miembros del partido que desempeñan tareas de responsabilidad, desde el comité ejecutivo nacional hasta el más humilde comité municipal, y entre la masa electoral del mismo partido, la que podríamos llamar con propiedad 'el pueblo del Partido Nacional Revolucionario'... El general Cárdenas debe esperar de los primeros, honestidad manifiesta en todos los procedimientos electorales, para que imperen los dictados populares, para que no haya más candidaturas incubadas en los círculos administrativos o políticos, sino en el corazón del pueblo. Los funcionarios del partido deben ser consecuentes con el famoso 'Mensaje presidencial' del general Plutarco Elías Calles, en que proclamó una República de instituciones, libre del caudillaje militar, pero libre también del caudillaje político, que es más peligroso... De las masas populares, del 'pueblo' del Partido Nacional Revolucionario, el general Cárdenas exige capacidad de renunciación, para que sean los mejores quienes vayan a los puestos representativos, para que se elija, no conforme a los menores defectos sino a las mayores virtudes; para que impere la ley de la selección y nadie se dé a lastimado, nadie sienta a ofensa que ocupen esos sitios los hombres mejor preparados, más revolucionarios, más populares, aun en contra de aquellos que se sientan con amistosa influencia cerca de... (los hombres del poder)." [27]

[26] Discurso de protesta como candidato presidencial, 5 de diciembre de 1933.

[27] Declaraciones de 14 de enero de 1934, en Toluca, Méx.

La lucha electoral

Dos millones doscientos sesenta y ocho mil votos, depositados en las urnas electorales,[28] sellaron el día primero de julio de 1934 una de las más brillantes campañas cívicas en la historia del país, y seguramente una de las que, por el grado de educación democrática del pueblo, por la organización de las fuerzas revolucionarias, atrajo mayor número de sufragantes a las casillas.

El triunfo del Partido Nacional Revolucionario y de su candidato, general Lázaro Cárdenas, pertenece al dominio de los hechos públicamente juzgados y sólo vale la pena, en este breve capítulo, contraponer la actitud respetuosa, llena de firmeza y a la par de caballerosidad, que animó al señor general Cárdenas, a aquella otra, desordenada, de ataques, de injurias, de prédicas demagógicas con que se caracterizaron los combatientes más señalados de la oposición, quienes, sin embargo, no pudieron negar jamás una circunstancia que da al triunfo del abanderado de la Revolución una prueba irrefutable de su legitimidad: gozaron ellos, los militantes de tal oposición, de todas las garantías, de todas las libertades, y ni en el curso de su campaña ni en los mítines con que quisieron encender el fuego de la reacción en la república, ni en las casillas electorales, se ejerció en contra suya acto coercitivo alguno.

Al iniciar su gira política en la ciudad de Querétaro, el general Cárdenas declaró a la prensa del país: "Por nuestra parte, hemos girado instrucciones a todos los elementos partidarios de mi candidatura para que se ajusten a una norma invariable de respeto para la opinión ajena; a fin de que la lucha, si la hay, sea decente y caballerosa, he recomendado a mis partidarios que combatan a la oposición con ideas." [29]

En escasas ocasiones, dentro de la gira electoral del general Cárdenas, sus oradores se refirieron a la oposición, y siempre fue para fijar posiciones de doctrina, para evidenciar ante las masas el creciente proceso de descomposición al que la misma oposición se fue entregando con gran celeridad; para poner en guardia, en fin, a los trabajadores del país contra los oropeles demagógicos de que algunos discursos iban investidos. "Es necesario decir —afirmó el general Cárdenas— que el pueblo sólo obtendrá progreso y mejoramiento cuando

[28] Declaraciones del CEN del PNR, el 31 de julio de 1934.
[29] Declaraciones de 8 de diciembre de 1933 durante el trayecto de Querétaro, Qro., a San Luis Potosí, S.L.P.

fíe de aquellos elementos capaces de tomar a su cargo, con
sinceridad y buen propósito, la resolución de los problemas
del país. Es por esto que el pueblo no toma ni puede tomar
en cuenta aquellos escasos grupos que ayer pertenecieron a
las filas de la Revolución y que hoy representan un movimiento oposicionista en las elecciones, tratando de llevar
desorientación a los trabajadores con prédicas insinceras." [30]

La actitud de respeto cívico del general Cárdenas y del
comité ejecutivo nacional del PNR hacia sus contrincantes,
fue tan estrictamente mantenida, que al surgir, en la campaña, una protesta clamorosa aunque en realidad injustifi-
cada de parte de los propagandistas de una facción opuesta
al régimen revolucionario, se expidió en la ciudad de México
la siguiente declaración oficial de la secretaría de prensa y
propaganda del instituto político mencionado: "El Partido
Nacional Revolucionario y su candidato a la Presidencia de
la República, general de División Lázaro Cárdenas, firmes
en su propósito de hacer que arraiguen en nuestro país los
principios democráticos y de que se depuren, hasta en su
forma externa, las prácticas inherentes al régimen que go-
bierna nuestras actividades ciudadanas, ponen a contribu-
ción toda su autoridad moral y política a efecto de que,
frente a la campaña de provocación y de incitación a la violencia que vienen desarrollando sistemáticamente Antonio I.
Villarreal y socios, asuman todos los miembros del partido una
actitud ponderada y seria, como corresponde a los grupos
que constituyen las grandes mayorías nacionales sobre las que
pesa la responsabilidad de encauzamiento de la cosa pública
de nuestro país."

Con relación a lo anterior, insertamos en seguida el mensaje dirigido por el general Lázaro Cárdenas al presidente del
comité ejecutivo nacional del PNR, senador Carlos Riva Palacio:

"*Zacatecas, Zac., 12 de junio de 1934.* Senador Carlos Riva
Palacio. Presidente CEN del PNR. Reforma, 18. México, D. F.
Periódico *Excélsior* ayer publica noticia de que Villarreal,
Manrique y Soto y Gama fueron hostilizados a su llegada a
Aguascalientes. Ruégole recomendar a comités estatales de
nuestro partido para que a su vez lo hagan con los municipales, indiquen a todos los partidarios a mi candidatura guar-
den estricta seriedad ante actitud provocadora de Villarreal
y acompañantes, para que éstos tengan de nuestros mismos

[30] Discurso de 10 de mayo de 1934, en Taxco, Gro.

amigos toda clase de garantías en su gira, dejando que la opinión pública juzgue sobre labor de insultos vienen desarrollando. Salúdolo afectuosamente, *Lázaro Cárdenas*."

Por su parte, el comité ejecutivo nacional, ratificando una vez más sus reiteradas instrucciones a los organismos con que contaba el partido en toda la república, giró telegráficamente a los comités de estado la circular que se inserta a continuación:

"Para que comité ejecutivo esa entidad y los comités municipales de su jurisdicción cumplan estrictamente instrucciones que han venido dándose sobre particular por este comité nacional, reitérasele que en ninguna forma debe dejar de cumplirse invariable actitud de ponderación y seriedad que nos hemos impuesto todos los miembros del instituto político de la Revolución ante las provocaciones insultantes en que invariablemente vienen operando elementos llamados oposicionistas encabezados por Villarreal. Al efecto, dentro disciplina consciente informa nuestros actos, contrólense todos los miembros de nuestro partido en cada sector para evitar manifestaciones externas que coincidan con presencia dichos provocadores, quienes solamente buscan pretextos para desatarse en declaraciones dolosas, asumiendo papel víctimas, aprovechando prensa poco seria está su servicio. Que la opinión pública nacional juzgue con sensatez posiciones éticas políticas en que estaremos siempre colocados contra la perversidad y la insensatez de los llamados oposicionistas. Telegráficamente informe lo que haga en cumplimiento de las instrucciones reitéransele ahora.

El presidente del cen del pnr, Sen. Carlos Riva Palacio. *México, D. F., a 13 de junio de 1934.* El secretario, Dip. Froylán C. Manjarrez."

Dentro de este plano de altura, cuando terminó la pugna electoral pudieron proponerse a la nación, como testimonio último, los datos de la votación del 1º de julio:

Totales de sufragios emitidos a favor de los candidatos

	Votos
General Lázaro Cárdenas	2 268 567
Antonio I. Villarreal	24 690
Ingeniero Adalberto Tejeda	15 765
Hernán Laborde (del Partido Comunista)	1 188

Se abren las fronteras del país a los exiliados

La aspiración hacia el logro de un nuevo tipo de democracia en México —la democracia social— alcanzó todo su esplendor cuando el general Cárdenas puso término a las enconadas luchas de nuestro pasado, con imponente sencillez y llaneza, testificando en su decisión, a la par que la fortaleza del régimen revolucionario, la dignidad personal del estadista que "sabe derramar el bien sin que sus larguezas depriman a los hombres ni su conducta acuse una debilidad".[31-32] Esta decisión fue la de abrir, anchas, las puertas del país para "todos aquellos compatriotas nuestros a quienes las vicisitudes de las rudas luchas internas hicieron abandonar nuestro territorio radicándose en el extranjero".[33]

"El Gobierno de la Revolución —anunció el general Cárdenas en la ciudad de Monterrey— abrirá las puertas de la nación a todos aquellos compatriotas que se encuentren actualmente en el exilio por cuestiones de carácter político, a fin de que vengan a vivir libremente en el país, buscando en la agricultura y en la industria una solución a su problema moral... Ya no se dará más en el extranjero el doloroso espectáculo de los mexicanos desterrados." [34]

Con recto sentido político, con cabal seguridad, el general Cárdenas fijó después, en la misma pieza oratoria, las bases a las cuales se habría de sujetar esta readopción fraternal de los compatriotas en el destierro: "Ciertamente —dijo— que ni hoy ni mañana esos compatriotas serán llamados a colaborar en la administración pública, porque existen en nuestras filas elementos plenamente identificados con la Revolución que poseen todos los derechos y méritos para ocupar puestos gubernativos; pero se dará a los mexicanos actualmente exiliados la posibilidad de convivir nuestras penas y alegrías, pues no serán jamás un peligro para la Revolución, porque ésta se encuentra en marcha y seguirá siempre adelante, apoyada en los obreros y campesinos... Por esto, la Revolución no puede abrigar ningún temor ni en el orden político electoral ni en el de cualquier situación armada."[35]

[31] Declaración del CEN del PNR.
[32] Manifiesto de la secretaría de prensa y propaganda del CEN del PNR.
[33] Discurso de 17 de junio de 1934, en Monterrey, N. L.
[34] Discurso de 17 de junio de 1934, en Monterrey, N. L.
[35] Discurso de 17 de junio de 1934, en Monterrey, N. L.

La gira por la república

La categoría de ejemplaridad lograda por la última campaña electoral del PNR, se consiguió gracias al carácter especial asumido por la gira del general Lázaro Cárdenas. Con minuciosidad incansable, con ánimo siempre renovador y juvenil, el que luego fue presidente electo se acercó al pueblo que hubo de elegirlo como primer ciudadano de la república. En avión, cuando ello era necesario; en automóvil, casi siempre; a caballo, por sierras inextricables, a través de ignoradas poblaciones, por las más humildes rancherías o las urbes populosas, siempre se vio al general Cárdenas rodeado de la multitud, infatigable para recibir la expresión de sus designios y quejas; austero, atento, pronto a servir al más miserable de los peones y a extender sobre él su amistosa protección, su ayuda fraternal, su consejo desinteresado.

Aun las crónicas periodísticas describen rasgos insuficientes del carácter propiamente épico de esa gira. Para caracterizarla, apenas los testimonios directos de la conversación personal son completamente capaces. Caminatas interminables, mitin tras mitin, mesas sobrias en las que el pan hermanaba con la simplicidad del agua; audiencias del candidato, prolongadas hasta el amanecer; trabajo incesante que por lo general se iniciaba por la madrugada; ritmo de campaña militar, kilómetros devorados no por la banalidad de un récord deportivo, sino por el ansia de saber, de investigar, de encontrar la vena real de la vida del pueblo; sacrificio constante, sinceridad, llamaradas encendidas con el mismo fuego idealista que alumbró las prístinas eras de la Revolución: todo esto fue el recorrido del general Lázaro Cárdenas por la república.

III. Una nueva economía nacional

Ninguna idea renovadora, ninguna prédica de atractivos matices debe ser tomada en cuenta si no ofrece posibilidades claras, definidas, de traducirse en una realidad económica. Los anhelos reformistas presentan campos infinitamente vastos; pero es esta piedra de toque de la economía la que distingue la utopía de la verdad, la revolución de la demagogia.

Al pueblo no se le lanza jamás al azar de un movimiento de reforma si no es que se advierte en él la certidumbre de obtener mejores condiciones materiales de vida. Y esta verdad fue captada nítidamente en el ideario del general Lázaro Cárdenas y se propaló en la gira efectuada por todo el país.

Política y economía

En la mente del general Cárdenas se acabó la disociación de conceptos que otorgaban a la política valores negativos, para dar, por contraste, un valor absolutamente positivo a la economía. "Política y economía deben ser una misma cosa. No puede hablarse de una sin implicar la otra. Toda medida política debe tener un fundamento y un sentido económico."[1]

El anterior pensamiento del general Cárdenas envuelve un completo proceso de síntesis histórica, a la vez que una tabla de regulaciones para el futuro desenvolvimiento de las tareas de gobierno.

La Revolución Mexicana tuvo, en sus comienzos, un contenido ideológico liberal que llegaba sólo incidentalmente a las cuestiones económicas, preocupándose, no por la transformación del régimen de la producción, sino por la adopción de medidas parciales capaces de corregir aquellos yerros más evidentes, aquellas causas que en mayor grado ocasionaban el malestar de las clases populares. Más claramente: en 1910 la conquista del poder, en sí, era un fin. En 1934, la conquista del poder no es más que un medio, el más eficaz,

---

[1] Declaraciones insistentemente repetidas.

para lograr la transformación de la organización económica del país.

En el caótico seno en que las masas rebeldes vivían desde un principio con graves carencias, de carácter económico y social, la Revolución fue progresivamente atendiendo las múltiples demandas populares, satisfaciéndolas, como en el caso de la Ley de 6 de Enero de 1915, con la mira limitada de resolver problemas domésticos, pero de hecho sin pensar en que el reparto de la tierra y la destrucción de los latifundios conducían a un concepto de la propiedad privada radicalmente opuesto al que hasta entonces consagró la legislación del país. Ya en 1917, en virtud de certeras intuiciones, la Asamblea Constituyente de Querétaro incorporó a la Constitución preceptos en que se abría un cauce amplio para el desarrollo de las nuevas tesis sociales. Aun situados, como están, en un cuerpo legislativo que inspira muchas de sus líneas generales en el individualismo, los artículos 27 y 123 constitucionales estatuyen modalidades colectivistas en el concepto de la propiedad y en el de las relaciones obrero-patronales derivadas del proceso social de la producción.

Al llegar para el país la época de la última campaña por la sucesión presidencial, la Revolución había depurado ya sus conceptos y se dirigía hacia una composición económico-social de carácter socialista. Pero seguramente es difícil encontrar palabras que definan tan vigorosa y brevemente la quiebra de los sistemas individualistas, como las que ya hemos citado del general Cárdenas, en las cuales denuncia ante el proletariado la esencia verdadera de "la libertad de enseñanza", "la libertad de conciencia" y "la libertad económica".

El socialismo de la Revolución Mexicana

Mas lo importante no estriba de manera única en afirmar la liquidación del pasado. Hay que señalar, además, la ruta al porvenir; hay que indicar qué es lo que va a sustituir en la historia del país la antigua estructura desechada por injusta. Al superar la tesis del individualismo, al observar el fracaso mundial de los sistemas capitalistas de producción, México tuvo ante sí, para la marcha de sus destinos, el vasto campo del socialismo, uno de cuyos postulados básicos, el de la lucha de clases, quedó sellado en el campo mismo de la batalla armada, ya que lucha de clases y victoria del proletariado agrario e industrial fue nuestra Revolución. Sólo que en la común definición de socialismo se agitan muchas tendencias, muchas tácticas, incluso muchas divergencias doctrinarias fundamentales.

El "Plan Sexenal" del Partido Nacional Revolucionario, al tocar este punto en varios de sus capítulos, particularmente en los relativos a la economía nacional y a la nueva enseñanza pública, declara que dicho instituto acata "la doctrina socialista que sustenta la Revolución Mexicana". Y el general Cárdenas, por su parte, declaró que "la principal acción de la nueva fase de la Revolución es la marcha de México hacia el socialismo, movimiento que se aparta por igual de las normas anacrónicas del liberalismo clásico y de las que son propias del comunismo que tiene como campo de experimentación la Rusia soviética. Del liberalismo individualista se aparta, porque éste no fue capaz de generar en el mundo sino la explotación del hombre por el hombre, al entregar, sin frenos, las fuentes naturales de riqueza y los medios de producción, al egoísmo de los individuos. Del comunismo de Estado se aparta, igualmente, porque ni está en la indiosincrasia de nuestro pueblo la adopción de un sistema que lo priva del disfrute integral de su esfuerzo, ni tampoco desea la sustitución del patrón individual por el Estado-patrón."[2]

El Estado-regulador

Es indispensable dejar claramente sentado que la finalidad última de todo movimiento socialista es el dominio de los instrumentos de la producción por la clase trabajadora y, consiguientemente, la distribución justa de la riqueza entre los elementos productores mediante la anulación de todo parasitismo.

La diferencia sustancial entre las diversas tesis socialistas que campean en el mundo, radica en los procedimientos, en la táctica puesta en juego para lograr esas finalidades. El sovietismo ha producido en Rusia un capitalismo de Estado, el Estado-patrón, que sustituye en sus funciones y deberes al antiguo empresario individualista.

El socialismo mexicano juzga que la marcha de los trabajadores hacia el dominio de los instrumentos de la producción debe tener una etapa previa, durante la cual habrán éstos de capacitarse técnicamente, de prepararse y depurar

[2] Declaraciones de 28 de marzo de 1934, en Villahermosa, Tab.

sus disciplinas, conquistando con lentitud, pero con firmeza, el poder. Esta etapa previa está caracterizada por la concepción del Estado como regulador de los fenómenos económicos. "En México se pugna por destruir, y se va destruyendo por medio de la acción revolucionaria, el régimen de explotación individual; pero no para caer en la inadecuada situación de una explotación del Estado, sino para ir entregando a las colectividades proletarias organizadas las fuentes de riqueza y los instrumentos de producción. Dentro de esta doctrina, la función del Estado mexicano no se limita a ser la de un simple guardián del orden, provisto de tribunales para discernir justicia conforme al derecho de los individuos, ni tampoco se reconoce al mismo Estado como titular de la economía, sino que se descubre el concepto del Estado como regulador de los grandes fenómenos económicos que se registren en nuestro régimen de producción y de distribución de la riqueza."[3]

Orientaciones para la función del Estado-regulador

El general Cárdenas integró la concepción del Estado-regulador, al definir, posteriormente, los índices exactos que habrán de limitar su función; índices que son, por una parte, la tendencia al dominio proletario sobre las fuentes de la producción, según se ha dicho; y por la otra, la finalidad de robustecer la economía nacional, propendiendo a la protección del salario, al establecimiento de la previsión social y a la organización de la producción y de la distribución de consumos.

Capacitación del proletariado

El camino que el proletariado ha de recorrer para llegar a la posesión de los medios de producción, es largo y fatigoso. Requiere como condición previa la capacidad técnica de los trabajadores para la dirección de las empresas en que ahora prestan sus servicios mediante salarios. Y requiere su organización y disciplina y la unificación de sus esfuerzos en un solo frente de lucha regido por un programa unitario. De aquí el llamado pertinaz, incansable, que el general Cárdenas regó en todos y cada uno de los pueblos del país: "¡Trabajadores de México, uníos!"

[3] Declaraciones de 28 de marzo de 1934, en Villahermosa, Tab.

Parte fundamental en la experiencia del general Cárdenas como gobernante es la que se refiere a los funestos resultados que en todos los órdenes originan las rencillas intergremiales entre obreros y campesinos. El capitalismo nacional y extranjero, los propietarios de latifundios, el clero posesionado de la escuela; todos aquellos, en fin, que tienen algún privilegio que conservar, atizaban, entonces como ahora, las diferencias surgidas entre las organizaciones de los trabajadores y se valían de ellas para debilitar el derecho obrero y para hacer nugatorias las conquistas de la Revolución.

En tanto que la conciencia de clase de los trabajadores y su poder de lucha se amenguan y se dispersan, el capitalismo mantiene en tensión sus fuerzas y promueve la solidaridad de todos los elementos capaces de ayudarlo. "Ningún conflicto intergremial deja de ser aprovechado por el capitalismo."[4]

El llamamiento del general Cárdenas a la unificación proletaria se apoyó tanto en experiencias pasadas como en el diario ejercicio de la acción durante la gira.

Al llegar el general Cárdenas, ungido por las mayorías de su tierra natal, al gobierno del estado de Michoacán, su primera preocupación fue la de consolidar el frente de lucha de los trabajadores, logrando al poco tiempo la constitución de la Confederación Revolucionaria Michoacana del Trabajo; organismo que reunió, sin excepción, las ligas, uniones y sindicatos, con lo que se pudo dotar a obreros y campesinos de un programa unitario de reivindicaciones.

En el curso de su campaña el general Cárdenas interpuso gestiones personales en todos aquellos casos que las demandaron para la solución de pugnas interproletarias. Ocurrió así en Aguascalientes,[5] en Guanajuato,[6] en Michoacán,[7] en Tlaxcala,[8] en Puebla,[9] en Veracruz,[10] en Chiapas,[11] en Yucatán,[12] en toda la república.

"Juzgo muy difícil realizar los postulados del 'Plan Sexenal' si no cuento con la cooperación de las masas obreras

[4] Declaraciones de 3 de abril de 1934, en Puerto México, Ver.
[5] Diciembre de 1933.
[6] Diciembre de 1933.
[7] Enero de 1934.
[8] Febrero de 1934.
[9] Febrero de 1934.
[10] Febrero de 1934.
[11] Febrero de 1934.
[12] Marzo de 1934.

y campesinas organizadas, disciplinadas y unificadas",[13] dijo terminantemente el general Cárdenas, quien, completando su pensamiento, añadió después: "Las divisiones entre trabajadores son estériles y criminales. Los obreros y los campesinos deben retirar todos los obstáculos que se oponen a su unificación."[14] Y para acelerar el proceso unificador del proletariado, el general Cárdenas señala a las organizaciones ya constituidas el deber de "ir hacia los centros de trabajadores que no conocen aún los beneficios de la organización y que, por tanto, no gozan de las ventajas que ha logrado la Revolución para el pueblo, a fin de convencerlos, atraerlos y ayudarlos a que, a su vez, se organicen."[15] De esta manera, cada organización de trabajadores no debe ser tan sólo un soldado, un instrumento más en la lucha de clases, sino frente permanente y activo de reivindicación y de justicia.

En concreto, el general Cárdenas sostuvo que la forma perfecta de organización para los trabajadores, dentro de la lucha de clases, es el sindicato revolucionario único en cada factoría o rama de la producción. "El sindicato es la mejor arma de los obreros y vale mucho más que la protección misma de las leyes y de las autoridades, porque ni el Presidente de la República, ni el gobernador del estado, ni cualquier otro funcionario pueden encontrarse eficaz y oportunamente en el lugar de los hechos, como lo están los trabajadores, para seguir las vicisitudes de la lucha."[16]

Para dar vitalidad a estos conceptos, el general Cárdenas expresó como propósito formal: "Se fortalecerá, hasta hacerla exclusiva, la contratación colectiva de los trabajadores. La adopción definitiva de la cláusula de exclusión, que eliminará la acción de los trabajadores no sindicalizados, no sería eficaz si no se estatuyera, como se ha estatuido ya, la desaparición de los sindicatos blancos y minoritarios, cuya integración es causa permanente de conflictos intergremiales."[17]

Fue a los sindicatos revolucionarios a los que el general Cárdenas asignó la alta misión de vigilar a las autoridades gubernativas y de "exigirles el cumplimiento de la ley, del 'Plan Sexenal' y de todas las obligaciones que hayan contraido con la Revolución."[18]

[13] Declaraciones de 14 de mayo de 1934, en Ticuí, Gro.
[14] Declaraciones de 1º de enero de 1934, en Morelia, Mich.
[15] Declaraciones de 4 de abril de 1934, en Puerto México, Ver.
[16] Declaraciones de 14 de mayo de 1934, en Ticuí, Gro.
[17] Manifiesto de 30 de junio de 1934, en Durango, Dgo.
[18] Discurso de 25 de abril de 1934, en Puebla, Pue.

Por otra parte los trabajadores tienen, en concepto del general Cárdenas, el deber de mejorar sus conocimientos técnicos a fin de ir participando paulatinamente en "la dirección de las empresas, como parte importante que son en el proceso de la producción."[19]

Cuando se consideró la posibilidad de un proletariado obrero-campesino que formara filas compactas en organizaciones de clase dotadas de un programa único de lucha, provistas de disciplina, dirigidas por hombres honestos y responsables; cuando se pensó en un proletariado que asumiera gradual y progresivamente funciones superiores a las que consisten meramente en sus servicios manuales, se comprende con plenitud el propósito que animó al socialismo mexicano de hacer que los instrumentos de producción llegaran a ser poseídos por la colectividad, y adquirieran, para lo mediato, todas sus luces las frases del general Cárdenas: "Poner la maquinaria en manos y propiedad de los trabajadores es interpretar fielmente la Revolución."[20] "Los trabajadores organizados y dignos por su preparación y disciplina, deben aprovechar para sí los beneficios de la industria."[21]

El cooperativismo

Si el socialismo mexicano sostuvo con firme dialéctica su programa de colectivización de las fuentes de riqueza, no por ello desconoció que esta finalidad todavía no madura en los surcos de la historia y que empleará la humanidad muchos lustros en tenerla al alcance de su mano.

Los trabajadores tienen a su disposición, en lo presente —opinó el general Cárdenas—, un medio de rápidos efectos para la conquista de los instrumentos de producción: la cooperativa, que suprime al empresario, que elimina los parásitos, que distribuye con equidad los beneficios y que traba contacto directo entre productores y consumidores. "Creo —dijo—

[19] Declaraciones de 24 de marzo de 1934, en Ciudad Cárdenas, Tab.

[20] Frase escrita en un álbum de trabajadores de la finca estatizada de "El Emporio", Tab., en marzo de 1934. La expresión textual fue la siguiente: "Poner la maquinaria agrícola en manos y propiedad de los campesinos, es interpretar fielmente la Revolución."

[21] Declaraciones de 24 de marzo de 1934, en Ciudad Cárdenas, Tab.

que en las cooperativas de consumo y de producción descansa el porvenir del país."[22]

El presidente electo concibió el cooperativismo como un sistema de lucha paralelo y auxiliar al sindicalismo. Pidió, así, que los trabajadores se unieran en sindicatos y ligas: "Una vez organizados, deben fundar su cooperativa de consumo en cada lugar, en cada población; cuando la cooperativa de consumo funcione con éxito, los trabajadores deben fundar cooperativas de producción." La supresión de los detentadores de la plusvalía y de los intermediarios será un factor muy valioso para que el proletariado estatuya, posteriormente, una organización económica de tipo superior, capaz de socializar los instrumentos de producción y de extirpar los residuos del individualismo que existen en el fraccionamiento de la propiedad y en la competencia industrial y mercantil, hechos ambos inevitables en el sistema cooperativista. El cooperativismo, por otra parte, debe encontrar sus raíces en la educación, y al efecto el general Cárdenas recomendó que en cada escuela exista un organismo de ese tipo, el cual funcione con fines económicos.

Acudiendo en forma polémica al estudio de las ventajas que para nuestro país representa el cooperativismo, el presidente electo manifestó en ocasión de la fiesta proletaria del 1º de Mayo: "El 'Plan Sexenal' de nuestro instituto político, que establece en diversos de sus postulados la supremacía del sistema cooperativista, organizando socialmente a los trabajadores del campo y de la ciudad como productores y consumidores a la vez, irá transformando el régimen económico de la producción y distribuyendo la riqueza entre los que directamente la producen. Pero no se trata aquí del pseudocooperativismo burgués instituido entre nosotros desde las épocas de la dictadura, sino de un cooperativismo genuino constituido por trabajadores, dentro del cual pueden colaborar, sin excepción alguna, todos los elementos de trabajo y de consumo, hombres y mujeres que deseen prestar su contingente para realizar la obra social de la Revolución, acabando así la explotación del hombre por el hombre, la esclavitud del hombre al maquinismo, y sustituyéndola por la idea de la explotación de la tierra y de la fábrica en provecho del campesino y del obrero. Es de esperarse que mediante este sistema, técnicamente dirigido y ayudado eco-

[22] Declaraciones de 24 de marzo de 1934, en Ciudad Cárdenas, Tab.

nómicamente por el Estado, juntamente con el movimiento sindicalista y con un régimen adecuado de distribución, se logre una eficiente explotación de todas las riquezas naturales, para satisfacer e intensificar el consumo interior y aumentar nuestras explotaciones para la pronta liberación de nuestro crédito. Podrá objetarse que en algunos casos el sistema cooperativista no ha respondido a sus fines y ha producido resultados adversos, pero si analizamos serenamente estos fracasos, debemos convenir en que son de atribuirse a causas circunstanciales, como son: la poca preparación de los directores de las masas y aun la falta de disciplina de los miembros que las constituyen, más bien que defectos del sistema y del fin económico en que se fundan." [23] En resumen: la unificación sindical y el cooperativismo son los dos vehículos fundamentales para conseguir la capacitación del proletariado, preparando su arribo al dominio integral de los instrumentos de producción.

Una economía propia

Se ha analizado en los dos capítulos precedentes la manera como, en concepto del general Lázaro Cárdenas, el Estado ha de cumplir su función reguladora por cuanto respecta a la capacitación progresiva del proletariado del campo y de la ciudad. Debe ahora exponerse la forma que el presidente electo pensaba que debe usarse para realizar la segunda finalidad del Estado-regulador: el robustecimiento de una economía propia: "La formación de una economía propia nos librará —dijo el general Cárdenas— de un género de capitalismo cuyo aliciente no es otro que la obtención de materias primas con mano de obra barata; capitalismo que no se resuelve siquiera a reinvertir en México sus utilidades, que se erige en peligro para la nacionalidad en los tiempos aciagos, y que no nos deja, a la postre, más que tierras yermas, subsuelo empobrecido, salarios de hambre y malestares precursores de intranquilidad pública."[24]

Y en verdad que no podían emplearse menos palabras para definir, con sobra de justificado dramatismo, la situación real de nuestro país a través de las muchas centurias en que ha padecido el régimen económico semicolonial, con su cortejo

[23] Declaraciones de 24 de marzo de 1934, en Ciudad Cárdenas, Tab.

[24] Declaraciones de 28 de marzo, en Villahermosa, Tab.

de revueltas intestinas, de empréstitos usuarios, de asechanzas internacionales de las que ha podido salir incólume nuestra dignidad merced a innumerables sacrificios. Ni podía expresarse de manera más concisa una ideología que ya sustentaba, desde aquel entonces, los justos anhelos de justicia y equidad por los que en nuestros días lucha denodadamente el todavía expoliado Tercer Mundo. Se advierte en estas palabras una clara alusión a los procedimientos explotadores y esclavistas del odioso capitalismo trasnacional. He aquí también uno de los porqués de la vigencia y actualidad del pensamiento de don Lázaro Cárdenas.

La Revolución y su nuevo abanderado proseguirán la honrosa misión de hacer de México una patria orgánicamente integrada, de acrecentar el bienestar de sus habitantes para que "el disfrute en común de sus riquezas" llegue a ser un hecho histórico. Lo que para cada mexicano debe significar la era de economía dirigida a que lo llama el "Plan Sexenal", está definido en las siguientes palabras del general Cárdenas: "La Revolución aspira a que haya trabajo en todos los pueblos para todos los hombres, a fin de que la vida humana sea más halagadora, menos miserable y más noble en el sentido de que permita a los individuos el cultivo de sus facultades, intelectuales y físicas, y por tanto, la realización plena de su personalidad."[25]

Que todos los habitantes de México encuentren una oportunidad para el cumplimiento de su vocación, que no haya aptitud sin empleo ni existencias fracasadas en la miseria; que la colectividad tenga a su disposición todas las fuentes de la riqueza sin estar expuestas a las contingencias que rigen potencias extrañas, es una tarea preñada de dificultades y de riesgos, es una tarea que exige austeridad y espíritu de sacrificio y para la cual debe contar la patria con sus propias fuerzas, con el espíritu de abnegación de sus hijos y con una gran fe en su porvenir.

El mandatario electo dijo a los trabajadores del Sur, al convocarlos para esa nueva labor: "De ustedes mismos dependerá su beneficio y su mejoramiento. En los actuales momentos no es fácil esperar que venga el capitalismo, extranjero o mexicano, a situarse en el país, porque sabe que no encontrará la masa dócil para la buena explotación que busca. El capitalismo voraz sólo acude a donde encuentra campos propicios para la explotación del hombre por medio

[25] Declaraciones de 14 de mayo de 1934, en Ticuí, Gro.

de bajos salarios. No debemos hacernos la ilusión de conseguir la prosperidad de México a base de intereses extraños. Hemos de lograrlo con intereses propios."[26]

Bases de la economía nacional

Las regulaciones del Estado deberán pues corresponder a las finalidades señaladas, ejercitándose sobre todas y cada una de las fuentes susceptibles de estructurar una riqueza pública, saneada y justicieramente repartida. Esquemáticamente consideradas, esas fuentes de riqueza son las que siguen:

1. Agricultura, en su fase ejidal y en aquella que se desenvuelve a través de la propiedad individual.
2. Industrias de transformación.
3. Industrias extractivas, en las cuales el problema del coloniaje económico es más agudo que en ninguna otra rama de la producción y donde la defensa del salario de los trabajadores es fundamental.
4. Obras materiales.

Considerada la producción en su conjunto, el Estado habrá de intervenir cerca de los dos factores fundamentales de ella: *a)* los patrones, *b)* los asalariados, equilibrando sus intereses y haciendo que los esfuerzos de ambos se conjunten para el logro de la aspiración común: la creación de una economía nacional.

El "Plan Sexenal" y los propósitos personales del general Cárdenas, en cuanto a esta materia se refiere, pueden concretarse como sigue:

a) Será efectiva la nacionalización del subsuelo; se fijarán zonas de reserva minera que garanticen el futuro abastecimiento de la nación; se instituirá un servicio oficial de exploración que oriente el abastecimiento de esas mismas reservas y dirija nuevas explotaciones mineras; se evitará el acaparamiento de terrenos y se ampliarán las zonas nacionales de reserva petrolera; se evitará, también, que las empresas extranjeras prosigan acaparando yacimientos minerales; se facilitará a los mineros nacionales su acción, impartiendo protección decidida a los gambusinos y a las cooperativas de mineros; se tenderá a eliminar la exportación de minerales en concentrados, impulsando el establecimiento de plantas de beneficio y fundición; se equilibrarán las fuerzas econó-

[26] Discurso de 10 de mayo de 1934, en Iguala, Gro.

micas de la industria del petróleo y se modificará el actual régimen de concesiones; se impedirá la exportación de los productos que después de sometidos a procesos de elaboración en el extranjero son reimportados por México; se reducirán los precios de consumo de la energía eléctrica, cuya distribución será ramificada; se fijará la situación de las empresas industriales, unificando las normas legales en todo el país; se limitará la libre competencia; se estimulará la creación de industrias nuevas; se impedirá la concentración de capitales; se ensanchará la esfera de influencia del crédito; se perfeccionará la técnica de los productores mexicanos y se establecerán relaciones directas con los mercados de consumo, para eliminar los intermediarios, al mismo tiempo que se organiza a los mismos productores y se regula la producción de acuerdo con la demanda. b) Se procurará el alza de los salarios y se combatirá todo intento de abatimiento de los mismos; se garantizará la impartición de justicia en los tribunales obreros; se harán las reformas de la Ley Federal del Trabajo necesarias para asegurar el derecho proletario; se procurará la participación obrera en la dirección de las empresas; se creará el seguro social contra la desocupación; contra las enfermedades, profesionales o no, y la muerte; se fomentará la educación técnica de los trabajadores y de sus hijos, se sustituirán las empresas ineptas con trabajadores debidamente organizados que exploten por su cuenta las fábricas y los cultivos.

Hecho el resumen anterior acerca de los deberes que específicamente se fijó el Estado respecto de asalariados y patrones en el cotidiano ejercicio de la actividad económica, se reseñarán, acto seguido, los temas en que el general Lázaro Cárdenas insistió con abundantes exposiciones durante su campaña.

El problema de la tierra. El agrarismo

El problema esencial de la economía mexicana, y aun de la nacionalidad, ha sido siempre el de la tierra. Geográficamente dispuesto nuestro país para la explotación de la agricultura, y carente, por otra parte, de una sólida industria de transformación, el cultivo de frutos de la naturaleza constituye el principal renglón de la balanza económica y la fuente de recursos de una inmensa mayoría de trabajadores. El despojo consumado por los conquistadores se radicó con especial empeño en el acaparamiento de las tierras pertenecientes a los indígenas, haciendo de éstos abnegadas máquinas de trabajo, siervos o esclavos que con su fuerza de trabajo, explotada en grado excesivamente inhumano, llegaron a impedir todo adelanto en la técnica de los cultivos.

Jamás fue bastante para la protección de los aborígenes la generosa intención de algunos misioneros, ni las disposiciones vigentes en las Leyes de Indias; el encomendero atrabiliario, el fraile mansurrón, pero afecto al ocio y a los graneros surtidos, el clérigo rentista, absorbieron la tierra, destruyendo el *calpulli* primitivo y ensañándose después con los ejidos de que la citada ordenanza había dotado a pueblos y comunidades.

La Independencia encontró una situación de monopolio en la posesión de la tierra a favor de las clases privilegiadas, y nunca fue posible que el proletariado rural, en su mayor parte característicamente indígena, lograra reivindicar para sí las parcelas que le fueron arrebatadas por la violencia y la astucia, y en todos los casos la expoliación sistemática.

La desamortización de los bienes, justamente llamados de "manos muertas", postulado primigenio de la reforma juarista, logró abatir en parte el dominio económico del clero, pero no produjo una revolución de fondo en el régimen de la propiedad, tanto más que, a causa de un error de apreciación de los preclaros hombres de gobierno de aquella época, se consolidaron los latifundios y se atacó hasta el aniquilamiento a los ejidos de propiedad comunal.

Posteriormente, la dictadura porfirista engrandeció los gérmenes que en el problema de la tierra dejó sembrados la Reforma, y emprendió en vasta escala un programa fatal de enajenación de la tierra a los particulares, que dio por resultado la creación de enormes extensiones agrícolas explotadas por sus propietarios con sistemas rudimentarios; extensiones que sólo fueron productivas gracias al trato cruel infligido a los peones, a las tiendas de raya, a la esclavitud de hecho en que esos infelices asalariados se movían. La reivindicación agraria fue el anhelo que, con hondo sentido económico-social, expresaron las masas que se alzaron en son de guerra desde 1910 y 1911. Pronto la voz que reclamaba la restitución de la tierra en las montañas del Sur fue extendiendo sus ecos y conmoviendo, con su dramática resonancia, a todos los sectores revolucionarios de la opinión, hasta que la Ley de 6 de Enero de 1915 y los reglamentos que la sucedieron, colocaron a la Revolución hecha gobierno en la posibilidad de iniciar su intenso programa de acción agraria.

Tal ha sido, en somera síntesis, el proceso histórico del problema de la tierra, aún sin resolver en gran proporción no obstante los esfuerzos sostenidos del régimen para acelerar el cumplimiento de la dotación y restitución de tierras, aguas y bosques; dotación y restitución que son solamente el punto de arranque para la organización racional de las explotaciones agrícolas ejidales en la república. "El problema fundamental que debe ser resuelto cuanto antes es el de la tierra, pues sólo cuando el reparto ejidal se encuentre concluido y satisfechas las necesidades de los pueblos, reinará el espíritu de esfuerzo tenaz, preciso para el mejoramiento integral de las colectividades."[27]

Las anteriores palabras del general Lázaro Cárdenas fueron precedidas por una enérgica declaratoria en que se denunció a la nación la existencia en todo el país del problema de dotación y restitución de tierras, contra lo que en una época vino afirmándose en favor de la tesis de que el reparto se encontraba agotado en diversas entidades federativas. "El problema agrario está en pie en todos los estados de la república, en unos en mayor proporción que en otros, y reclama una pronta acción gubernativa a fin de que las necesidades de tierras de los pueblos estén completamente satisfechas en los primeros dos años del próximo período constitucional..."[28]

Naturalmente, para el general Cárdenas —como se ha dicho— el aspecto dotatorio de la cuestión de la tierra era un paso inicial para la consecución de más altas finalidades. Observador atento y empeñoso de las necesidades de los campesinos, viejo amigo del agro, ferviente convencido de que el futuro más noble y mejor del país se encontraba depositado en embrión en el seno de los pequeños pueblos afectos al cultivo de la tierra, el presidente electo, que en su viaje por la república llegó real y positivamente al jacal indígena, al surco ejidal, a la ranchería lejana, concibió el agrarismo como la atmósfera económica y social en que medraría, a la vez que el provecho colectivo, la felicidad personal.

Dirigiéndose a los campesinos del Sureste, manifestó: "Digo a ustedes, a nombre de la Revolución, que las tierras deben dárseles para que ustedes mismos sigan cultivando el henequén. El espíritu de la ley no debe interpretarse en el sentido de que la dotación de tierras a los campesinos sea únicamente para que resuelvan el problema de su alimentación; y, por lo

[27] Discurso de 24 de junio de 1934, en Chihuahua, Chih.
[28] Discurso de 24 de junio de 1934, en Chihuahua, Chih.

tanto no deben buscarse, como se pretende aquí (en Yucatán), tierras donde se cultiven exclusivamente el maíz y el frijol. La Revolución quiere que la tierra venga a resolver el problema económico de los trabajadores en forma que les permita atender a las necesidades de su alimentación, vestuario, alojamiento, salud y educación; es decir, que eleve su nivel de vida..."[29]

Una visión integral del problema agrario está en las siguientes palabras: "La situación en que se encuentra la mayoría de las familias campesinas que habitan nuestro territorio, justifica el deber de acudir a la pronta satisfacción de sus necesidades por la intensificación de las dotaciones y restituciones ejidales, la liquidación del monopolio territorial y la mejor explotación de los campos; mas para la plena resolución del problema no basta la simple entrega de la tierra sino que es indispensable que continúe aumentándose el crédito refaccionario, constituyéndose nuevas obras de irrigación, caminos; la implantación de modernos sistemas de cultivo y organización de cooperativas que acaben con la especulación de los intermediarios, buscando con esto que la producción agrícola, a más de cubrir las necesidades de los campesinos, demuestre por su calidad y continuidad que la distribución de la tierra viene a superar la primitiva técnica del latifundista, fundada en la explotación del peonaje."[30]

Todavía adquieren mayor precisión conceptual los siguientes juicios del general Cárdenas: "Trata el 'Plan Sexenal', en primer lugar, del problema agrario, y dispone que haya tierra para los campesinos. Que haya tierra para todos en cantidad suficiente no sólo para resolver el problema económico de cada familia mejorando su alimentación, su vestuario y su alojamiento, y permitiéndole la educación de los niños y de los adultos, sino para que aumente la producción agrícola respecto de la que se tenía o podría tenerse bajo el régimen de absorción de la tierra en pocas manos. Quiere la Revolución que los productos de cada ejido vayan a los mercados de consumo a fin de ayudar a la república entera a lograr un nivel superior de vida. Pero para esto, es indispensable que se ayude al campesino con el crédito refaccionario, con la construcción de presas y de otras obras de regadío y con la introducción de más modernos sistemas de cultivo. Si la tierra es entregada a los campesinos y no se les propor-

29 Discurso de 10 de marzo de 1934, en Mérida, Yuc.
30 Manifiesto de 30 de junio de 1934, en Durango, Dgo.

cionan medios para cultivarla, todo su esfuerzo será nulo y perdido."[31]

Fue el general Cárdenas un defensor, con pleno conocimiento de causa, de la productividad del ejido y de las ventajas económicas que la Revolución ha acarreado en favor del país y de los campesinos. "La Revolución no es ni puede ser responsable, como lo afirman las fuerzas reaccionarias, de la situación de miseria que existe por desgracia en muchos lugares del país, porque nuestro movimiento social trata de modificar los yerros cometidos durante varias centurias y éste, en cambio, no cuenta sino sólo con veinticuatro años de existencia."[32]

Y con tono lleno de cálida confianza, decía ya a los campesinos yucatecos: "Se ha dicho que la dotación de tierras a los pueblos campesinos, afectando las tierras en que se cultiva el henequén, reducirá la producción, y yo aclaro que no están en lo justo quienes esto sostengan, porque los ejidatarios organizados y atendidos con el crédito necesario harán producir las tierras tanto o más henequén que el que hoy se obtiene." [33] Abordando después un problema de carácter técnico (el de las tierras monocultoras, que precisan de enriquecerse con nuevas siembras), dijo: "El pueblo de Yucatán puede estar confiado en que no se reducirá la producción de henequén con las dotaciones ejidales sino al contrario, se impulsarán los cultivos así como se impulsará también la producción del coco, el plátano y el ajonjolí en Campeche; el plátano en Tabasco; el café y el plátano en Chiapas, y así en todo el país aquellos productos que preferentemente están aumentando la riqueza nacional."[34]

El presidente electo juzgó, por otra parte, que "...es necesario establecer nuevas bases para la repartición de la tierra; de manera que en aquellas regiones estériles la extensión de las parcelas sea mayor que en las regiones fértiles y se encuentre proporcionada a la productividad de la tierra."[35] Problema éste particularmente agudo en las ásperas planicies del Norte, con tierras de potencia nutritiva insuficiente que en algunas entidades, como Chihuahua, exigen un mínimo de 40 hectáreas para el sustento de cada familia, en promedio.

El problema demográfico, que en otro lugar trataremos con

[31] Discurso de 10 de marzo de 1934, en Mérida, Yuc.
[32] Discurso de 24 de junio de 1934, en Chihuahua, Chih.
[33] Discurso de 10 de marzo de 1934, en Mérida, Yuc.
[34] Discurso de 10 de marzo de 1934, en Mérida, Yuc.
[35] Discurso de 27 de junio de 1934, en Durango, Dgo.

mayor amplitud, despunta en las siguientes acotaciones:
"Cuando la cantidad de tierras disponible no baste para
todos los campesinos que a ella tengan derecho en un lugar
determinado, que se reparta hasta donde alcance, designando
por sorteo a los jefes de familia favorecidos, y que los demás sean trasladados a donde existan los terrenos· necesarios.
Es indispensable que no se siga pulverizando la parcela,
porque de esta manera sólo se sacrifica inútilmente a los
campesinos y la Revolución pierde fuerza humana, sostén
y arraigo."[36]

Para que la nueva vida surja en los campos con todo su
esplendor, el general Cárdenas tuvo todavía un plan que
propuso al campesino nacional: "...con la escuela rural, el
antialcoholismo y el antifanatismo —dijo— queda completo
el programa revolucionario en materia agraria."[37]

Se buscaba en la campiña el perfeccionamiento y la afir-
mación decisiva de un movimiento revolucionario, recono-
ciéndose que aún no cesaban las resistencias violentas de
parte de los representantes de los antiguos privilegios. La
Revolución, cualquiera que sea su estatuto jurídico, precisa
siempre de un respaldo de fuerza, un estado de respetabili-
dad material. "Existe —dijo el general Cárdenas— una miscelánea de elementos armados que provocan situaciones difíciles
en los campos ... ha adolecido de falta de criterio la constitución de las defensas sociales, confiadas a elementos anta-
gónico del movimiento agrarista..." [38] Y las anteriores palabras caracterizan a perfección el estado de intranquilidad
crónica' que hace frecuentes crisis en disturbios de sangre y
que origina para los campesinos persecuciones cruentas, ase-
sinatos a mansalva y atropellos de diversa índole.

Fue por todo ello que el general Cárdenas, en momentos
de especial emotividad y en contacto cercanísimo con la vena
del dolor popular, dijo: "Siempre he sostenido que sólo
armando a los elementos agraristas, que han sido, son y
serán el baluarte firme de la Revolución, se les podrá capacitar para que sigan cumpliendo su apostolado en vez de
continuar siendo víctimas de atentados como ocurre en toda
la república... Entregaré a los campesinos el máuser con
el que hicieron la Revolución, para que la defiendan, para
que defiendan el ejido y la escuela."[39]

[36] Discurso de 27 de junio de 1934, en Durango, Dgo.
[37] Discurso de 17 de mayo de 1934, en Tres Palos, Gro.
[38] Discurso de 17 de mayo de 1934, en Tres Palos, Gro.
[39] Discurso de 17 de mayo de 1934, en Tres Palos, Gro

La presencia de núcleos agraristas armados en nuestras comarcas rurales fue la resultante de la lucha entablada para transformar el régimen de la propiedad de conformidad con los mandamientos de las leyes emanadas de la Revolución. Fue justamente el estado de guerra provocado por los intereses creados, al oponerse a la vigencia de la reforma agraria, el que dio aliento a los trabajadores del campo para organizar sus cuerpos armados como un modo de proveer a su defensa colectiva. Más tarde, cuando el poder público fue puesto en peligro, los agraristas, invariablemente, ofrecieron sin reservas todo el contingente de sangre que fue menester para poner a salvo los gobiernos. Y la resultante fue que las milicias agraristas dejaron de ser núcleos dispersos, para constituirse, en rigor y de pleno derecho, en la mejor y más noble reserva del Ejército Nacional, conquistando títulos suficientes para ser tenidas en el rango de auxiliares del propio ejército.

Se puso de manifiesto la conveniencia de mantener armados a los agraristas, porque fue coincidente su interés con el del gobierno, toda vez que el objetivo principal de un régimen de carácter revolucionario no puede ser otro que el de hacer que arraiguen y se cimenten las instituciones públicas y el orden de cosas que va creando con su acción renovadora; en tanto el labrador liberado económicamente, por fuerza tiene que radicar sus empeños en la defensa del patrimonio que la Revolución le ha entregado. Esta trabazón de intereses es la que explica mejor la determinación del presidente electo, supuesto que nadie puede estar mejor capacitado para defender al nuevo régimen social que los hombres que se benefician con su gestión.

Por lo demás, no debe olvidarse que la existencia de los cuerpos de agraristas armados, organizados y disciplinados bajo la dirección y control de la autoridad militar, permitió introducir rigurosas economías en el ramo de Guerra, llevando a un límite compatible con la seguridad de las instituciones la reducción del ejército, como medio de mejorar los servicios públicos y de proseguir con aliento las obras planeadas en el programa que se había trazado el gobierno. Frente a la milicia agrarista, creada con consentimiento de la autoridad para robustecer nuestras instituciones de derecho, se levantaron las guardias blancas, exponentes de la actitud de rebeldía que asumieron las clases conservadoras para hacer nugatorio el derecho.

El desarme de estos grupos que estuvieron al margen de

la ley, se justificó por razones obvias. Desde luego porque no se explicaría jamás que un régimen cuya dinámica tuvo por norte la realización de un programa de transformación de las condiciones económicas y sociales, consintiera en que las empresas privadas, que deben ser sujetas a la aplicación de las leyes, adquirieran capacidad suficiente para sustraerse a esas mismas leyes. Nadie quedó privado, por otra parte, del derecho de armarse para su defensa personal, según lo previene la Constitución General de la República. Pero sí le quedó prohibido a todo particular organizarse como miliciano a menos que el gobierno, haciendo uso de sus poderes, constituyera, como lo hizo en el caso de los agraristas, milicias regulares auxiliares del ejército.

De esta manera, el jefe militar que desarmó hace más de diez lustros las guardias blancas de los petroleros en la región de las Huastecas, el gobernante que entregó a los ejidatarios de su estado tierras y escuelas, el estadista que proyectó para los campesinos el uso del crédito refaccionario en grande escala y de todos los recursos de la moderna técnica de los cultivos, el alto funcionario que al frente de la cartera de Guerra defendió el derecho de los agraristas armados, apoyó su gobierno en las masas de trabajadores del campo y dotó a éstas de un programa social y económico de lucha cuya bondad se ha probado largamente en la era revolucionaria del país.

Actividad agropecuaria de iniciativa privada

"Es preciso que cuanto antes se defina el problema de la posesión de la tierra, a fin de que ya satisfechas las necesidades ejidales de los pueblos, puedan los agraristas dedicarse tranquila y descansadamente al trabajo, por una parte, así como que puedan los propietarios de tierras ya no afectables organizar su crédito y laborar también con actividad y entusiasmo." [40] En las anteriores palabras el general Lázaro Cárdenas expresó la norma de convivencia que la Revolución brinda, sin mengua de su ideal socialista, a todos los hombres de buena voluntad en la república.

En tanto la colectividad vive una etapa de transición y que su existencia tiene por teatro un país tan vasto y tan convenientemente dotado, no debiéndose encontrar, por tanto, ningún problema de insuficiencia de la riqueza nacional para el sostén de la población, debe otorgarse a los productores de

[40] Declaraciones de 31 de marzo de 1934, en Villahermosa, Tab.

carácter individualista una oportunidad generosa, pero situada estrictamente dentro de los límites que establecen el derecho industrial y el agrario, y sujeta, como insistentemente se ha repetido, a las regulaciones de bien público que dicte el Estado.

El problema que mayormente afecta la agricultura en nuestro país es el de la infraproducción, debida a la falta de sistemas modernos de cultivo, a la carencia de un crédito territorial debidamente extendido, a la escasez de vías de comunicación y de obras de regadío y a la corta densidad de la población rural.

Una agricultura que se mueve en los estrechos límites que le fijan el arado egipcio, la anarquía de los mercados, la buena o mala ventura de los temporales, la fragilidad de solvencia en los propietarios, los salarios misérrimos y una fuerza humana que en las mejores regiones del país equivale apenas a la de siete individuos por kilómetro cuadrado, es por necesidad una agricultura incipiente, rudimentaria, que para llegar a satisfacer las demandas del país, librándolo de la onerosa dependencia de las importaciones de artículos de primera necesidad, requiere los más grandes estímulos, la más absoluta dedicación y un empeño persistente de parte del Estado para brindarle caminos libres de obstáculos. En este punto, como en todos, la fraseología reaccionaria ha recibido una de sus más duras derrotas. No es exacto, como los soñadores del pasado lo pretenden, que la economía agrícola del país se haya colocado al margen de la bancarrota en virtud de las medidas adoptadas por la Revolución. Estadísticas recientes, de origen inequívocamente burgués, manifiestan que, salvo en los años culminantes de la lucha armada, cuando las facciones en pugna se movían con rapidez vertiginosa y los combates se sucedían de uno a otro confín del país, salvo en esas épocas convulsivas, el nivel de producción en los cereales básicos (maíz y trigo) y en el frijol, acusó alzas estables en comparación con el que era habitual durante la dictadura, obteniéndose en otros artículos muy sensibles márgenes de bonanza.[41]

El entonces presidente electo, considerando que la Revolución no puede conformarse con ligeros índices de aumento, llamó al país a la superación de los antiguos montos de las cosechas, convocando a los agricultores para el seguimiento de los ejemplos que algunos entidades avanzadas, como Tabas-

[41] Estadística publicada por *El Universal* el 14 de agosto de 1934.

co y Sonora, han sentado por la organización de uniones de productores.[42] El funcionamiento de la Unión de Productores de Tomate y de Garbanzo, en el estado fronterizo mencionado, constituye un caso típico de economía dirigida y de organización de la producción. Consiste esta última, en Sonora, en la previsión de todas las condiciones y factores que concurren en la productividad de la tierra. Se fija de antemano el monto y calidad de las cosechas, de acuerdo con las necesidades previsibles del mercado; se señalan a los cosecheros partes alícuotas sobre dicho monto y se les proporcionan asistencia técnica y ayuda refaccionaria para la compra de semillas, pago de jornales a una tarifa nunca inferior a la del salario mínimo, gastos de conservación de siembras y de cosecha de productos. Las cosechas se concentran en los almacenes de la Unión y ésta gestiona directamente con los compradores la colocación de las mismas, evitando toda mediación extraña y controlando de manera eficaz los precios, que ya no sufren la influencia de los acaparadores. Para completar este sistema, la Unión posee su propio banco y tiene arreglos especiales con las empresas de transportes en condiciones favorables.

El general Cárdenas pensó que los sistemas de explotación dirigida de la riqueza agropecuaria pueden y deben generalizarse por todo el país. "Primeramente —dijo— se ha propuesto facilitar elementos económicos y de trabajo al agricultor para llevar a cabo la explotación de la tierra, creando el Banco Nacional de Crédito Agrícola, que no sólo refacciona numéricamente las actividades del campo sino que trata de introducir una modernización completa en los sistemas de cultivo, y, como complemento, crear canales propios de distribución de los productos para que los rendimientos de la agricultura dejen de beneficiar casi exclusivamente a los intermediarios en la distribución..."[43] No menos fecunda fue en el ánimo del general Cárdenas la observación de los sistemas productores instaurados en Tabasco bajo la dirección del régimen socialista que gobernaba el estado en aquellos años. Fijando contrastes, el presidente electo decía ante una asamblea de agricultores y ganaderos: "En grandes extensiones de la república, los agricultores viven una existencia precaria que se sustenta en la explotación de la tierra por medieros

[42] Declaraciones sucesivas del general Cárdenas como pre-candidato y como presidente electo de la república, al viajar por Sonora.

[43] Declaraciones de 31 de marzo de 1934, en Villahermosa, Tab.

o que ocupa escasa peonada en el sembradío de unas cuantas hectáreas que jamás son abonadas, en las cuales no se establece la rotación de cultivos, no se lleva la máquina ni se introducen nuevas semillas. Los cereales que así se cosechan —generalmente maíz, a veces trigo, en ocasiones el frijol—, se distribuyen sin eficiencia, al azar de los precios del mercado cuando no quedan en manos de los acaparadores."[44]

"Los ganaderos, por su parte, en esas regiones aún no organizadas económicamente, poseen algunos cientos de bestias que crecen a su antojo en las praderas. No hay importación de sementales, no hay selección de tipos; todo se encomienda igualmente al embate de las diarias circunstancias... La actividad agropecuaria languidece cada vez en mayor proporción por la desconfianza que recíprocamente se tienen los elementos que producen, la cual les impide asociarse convenientemente en la explotación de la tierra, aprovechando los datos modernos de la técnica." [45] Por otra parte, "la propiedad raíz de México se encuentra hipotecada en muy elevados porcentajes", y de esta manera "son los acreedores del productor, casi siempre agiotistas y usureros, los que están ahogando el progreso de nuestra agricultura con la exigencia inmoderada, odiosa e incontenible del pago de réditos capitalistas que chupan por entero las ganancias de quienes emplean su esfuerzo en el surco, el arado y el criadero".[46]

Al propugnar por la tecnificación de la agricultura, el ideario del general Cárdenas señaló otro defecto básico en nuestra economía: las altas tarifas de costo de la fuerza hidroeléctrica; tarifas que en Yucatán, por ejemplo, son "las más elevadas del mundo" [47] y que en todas las demás regiones del país de hecho hacían incosteable la producción por medio de máquinas. Igual cosa debe afirmarse respecto de "combustibles de origen mineral y en particular respecto de la gasolina, el petróleo y sus afines".[48]

Por último, complementando la idea de la organización de la producción agropecuaria, el temario del general Cárdenas manifestó que "si el gobierno cobra interés en la propulsión de tan importantes factores de riqueza, como son la ganadería y la agricultura manejados por la iniciativa privada en esferas que no son las del peón ni las del ejidatario; si desea

[44] Declaraciones de 31 de marzo de 1934, en Villahermosa, Tab.
[45] Declaraciones de 31 de marzo de 1934, en Villahermosa, Tab.
[46] Declaraciones de 31 de marzo de 1934, en Villahermosa, Tab.
[47] Declaraciones de 31 de marzo de 1934, en Villahermosa, Tab.
[48] Declaraciones de 31 de marzo de 1934, en Villahermosa, Tab.

que el país conquiste en este terreno una auténtica y duradera autonomía; si quiere que al menor esfuerzo posible corresponda mediante la inteligencia y la unión el mayor producto, debe allanar los caminos y debe, en concreto, importar sementales finos e impartir educación conveniente entre los ganaderos y fabricar, como un servicio social, implementos modernos de labranza y capaces de llevar los logros de la civilización hasta las más remotas comarcas de la república".[49]

Es indudable, por último, en lo que hace al aprovechamiento de sementales finos y a la extensión del uso de la maquinaria de labranza, que la producción ejidal debe estar no sólo en igualdad, sino en privilegio, respecto de la producción regida por intereses patronales.

Prevenciones del "Plan Sexenal"

Para ilustrar debidamente los conceptos emitidos por el general Cárdenas alrededor de los problemas agropecuarios que el país confrontaba en esos años, se incluye en seguida un compendio de las previsiones que sobre la materia contiene el capítulo relativo del "Plan Sexenal" del Partido Nacional Revolucionario:

"Se suprimirán —dice ese documento— las actuales Comisiones Locales Agrarias y se crearán en cada estado Comisiones Locales Mixtas; se respetará la pequeña propiedad, con las extensiones que para las diversas clases de tierras fija la actual ley de dotaciones y restituciones de tierras en vigor; no se privará a los peones acasillados de las haciendas de la oportunidad de liberarse económica y socialmente, se procederá al fraccionamiento de los latifundios, ya sea hecho voluntariamente por los dueños de dichos inmuebles o en la forma de expropiación forzosa prescrita por la ley; será redistribuida la población rural, buscando nuevas regiones agrícolas en las cuales puedan ser establecidos los excedentes de población que por cualquier causa no logren obtener en el lugar de su primitiva residencia tierras y aguas bastantes para satisfacer sus necesidades; se impulsará la colonización interior, llevada a cabo con mexicanos en los principios que inspira la ley vigente sobre la materia; se propugnará por el mayor incremento del crédito agrícola y por que ese desarrollo se traduzca en beneficio real para los ejidatarios y los agricultores en pequeño; se atenderá a la conservación de los siste-

---

[49] Declaraciones de 31 de marzo de 1934, en Villahermosa, Tab.

mas nacionales de riego que actualmente existen, y se continuarán las obras de otros muchos; se establecerán criaderos de ganado destinados a proveer a los centros de explotación agropecuaria, procurando atender de preferencia la demanda de los ejidatarios; se atenderá a la conservación de nuestras riquezas forestales, se vigilará la explotación de los bosques, haciendo efectivo el más racional aprovechamiento de ellos y sus productos; se llevará a cabo la reforestación sistemática e intensa, y, en fin, se realizará por todos los medios posibles una tenaz campaña enderezada a introducir el uso de combustibles que sustituyan los productos forestales que excesivamente se emplean con ese objeto en la actualidad."

Cuestiones del trabajo. Salario y previsión social

"La situación de los obreros de la industria exige reformas de fondo al Código del Trabajo, tal como lo anuncia el "Plan Sexenal"; tendencia que ya ha iniciado la actual administración, con beneplácito de los trabajadores." [50] Tan concisas palabras, debidas al general Cárdenas, recogen en un resumen y una promesa finales todas las observaciones hechas a través de su dilatado viaje por el país.

El Código Federal del Trabajo vigente en ese tiempo no fue considerado por los legisladores que lo aprobaron sino como un mero ensayo destinado a pulsar en la práctica la compleja trabazón de intereses obrero-patronales, y a edificar sólo el cimiento de una balanza de mayor precisión para el establecimiento de un sólido equilibrio entre ambos factores de la producción. El Código del Trabajo llevaba pues, en su propio seno, los gérmenes de la reforma que requería, y ésta se ha evidenciado como indispensable en dos importantes órdenes de preceptos: los relativos a la contratación colectiva del trabajo y los que se refieren a los tribunales de derecho industrial.

El plan de conducir a México a una situación de economía regulada por el Estado, presuponía que las relaciones entre obreros y patrones dejaran de ser anárquicas, fortuitas, como son las que se establecen de individuo a individuo, para ser la interdependencia de índole constante que se fija entre los grupos organizados.

Los obreros deberán perfeccionar su organización para que no presente vacíos ni coyunturas que la hagan fácil blanco

[50] Manifiesto de 30 de junio de 1934, en Durango, Dgo.

de la ofensiva capitalista. Esto último es lo que preocupó especialmente al general Lázaro Cárdenas, y fue por ello que, considerando como funesta toda pugna intergremial, abogó por el establecimiento de la cláusula de exclusión en los contratos colectivos de trabajo, la cual eliminaba automáticamente a los obreros libres y sólo brindaba oportunidades de ocupación a los sindicalizados; y por ello, también, proyectó modificaciones legales que impidieran de una vez por todas la existencia de sindicatos minoritarios y de sindicatos blancos en las factorías o en las ramas de la industria. Con igual rectitud abordó el general Cárdenas el problema que presentan los tribunales del trabajo, y al efecto pidió que la legislación en materia de conflictos "garantice en forma precisa los derechos de los trabajadores" y evitara las injusticias, los fallos arbitrarios que nacían "de la ambigüedad de la misma ley o de su interpretación parcial en beneficio de las empresas".[51] Pidió, en otros términos, el entonces presidente electo, que las Juntas de Conciliación y Arbitraje fueran, tal y como vive su concepción en la mentalidad proletaria, verdaderos tribunales de conciencia, donde las artimañas de los abogados al servicio de la burguesía valgan menos que las razones ingentes que alegan siempre los trabajadores; donde el derecho industrial asuma una forma consuetudinaria que le haga adaptarse a las necesidades, siempre cambiantes, del medio industrial; donde, en fin, se refleje con mayor fuerza que en ninguna otra institución, el imperio de ese estado de revolución permanente que México necesita para salvarse ante la historia y para conquistar mejores condiciones materiales de existencia para su pueblo.

Y fue a tal punto enérgico en el espíritu del general Cárdenas este deseo de justicia, que cuando un conflicto asumía caracteres de gravedad, revelando la contumacia patronal en la persecución de los obreros, no vacilaba en sugerir soluciones extremas, soluciones de conciencia en las que trema la anímica de las primeras jornadas de la Revolución. Así ocurrió en los días iniciales de la campaña electoral, cuando hasta la ciudad de Querétaro llegaron los ecos del zafarrancho provocado por la empresa de dos valiosas fincas michoacanas. El punto de vista del general Cárdenas sobre ese caso concreto asume carácter de precedente y quedó consignado en el mensaje telegráfico cuyo texto es el que sigue:

[51] Discurso de 13 de junio de 1934, en Tampico, Tamps.

Señor Eugenio Cussi. Lombardía, Mich. En vista últimos acontecimientos registrados Hacienda Lombardía
en que perdieron vida tres trabajadores y fueron heridos
veinte más, así como en vista asesinato recientemente
cometido de secretario general sindicato misma hacienda, ciudadano Gabriel Zamora, diputado suplente
federal, como consecuencia conflicto que por reducidos
salarios año con año se presenta entre usted y trabajadores organizados en haciendas Lombardía y Nueva
Italia, ambas propiedad de usted, y dada situación que
prevalece por atropellos que se vienen registrando fre-
cuentemente, y considerando necesidad resolver radicalmente problema para evitar acontecimientos de mayor
trascendencia, propóngole quiera usted poner desde
luego haciendas en manos trabajadores organizados para
que cooperativamente las trabajen en provecho de ellos
mismos, liquidándolas a usted bajo la base de valor
fiscal y plazos fíjense. Dado el estado de ánimo que
se ha creado entre usted y sus administradores, y los
trabajadores de dichas haciendas, no debe mantenerse
indefinidamente esta situación en que viene sacrificán-
dose a los trabajadores, ya por intransigencias de usted
o porque las autoridades no hayan podido evitar y solucionar estos conflictos, lamentándose que por falta de
presencia de las autoridades administrativas en los lugares de los conflictos estén ustedes aprovechando do-
losamente la fuerza armada, haciendo más difícil la
resolución de este asunto, que corresponde resolver exclusivamente a las autoridades del trabajo y administrativas. Atentamente. *Lázaro Cárdenas*.[52]

Espíritu obrerista en la legislación del trabajo, mayor sencillez en los trámites, menos oportunidad para que los derechos de los asalariados fueran burlados por las empresas, sobre
todo en los casos de despidos injustificados, de jubilaciones
evadidas mediante cómodos subterfugios, de indemnizacio-
nes por accidentes y enfermedades no pagadas, y aun facultades para resolver con medidas drásticas los conflictos provocados por la obstinación culpable de los patrones, fue lo
que el presidente electo esperaba del Código del Trabajo en
cuanto hace a materia de conflictos.

[52] Mensaje enviado desde el tren en marcha entre las ciudades
de Querétaro y San Luis Potosí, 8 de diciembre de 1933.

Cabe señalar, para dar por concluido este tema, la dotación, a la Suprema Corte de Justicia de la Nación, de una sala destinada a los asuntos del trabajo, a fin de que éstos se resolvieran con la rapidez que reclamaban; sala que, sin duda, debería estar servida por magistrados de filiación revolucionaria intachable. En las modificaciones proyectadas al Código Federal del Trabajo se consideraron también dos ideas novedosas para nuestro medio industrial, pero de suma importancia: la participación de los proletarios organizados en la dirección y en los beneficios de las empresas; puntos ambos cuya viabilidad dependería de estudios posteriores.

Hay otro baluarte que el general Lázaro Cárdenas artilló con particular tesón: la defensa del salario de los trabajadores mexicanos. "Por desgracia, la mayor parte de las autoridades inferiores no ha secundado hasta la fecha la patriótica labor en pro del salario mínimo. Ésta es una tarea que debe proseguirse sin descanso, hasta que ese salario quede establecido sin excepción en toda la república. Después será necesario continuar trabajando por que los jornales aumenten progresivamente." [53] La cuantía del salario debe estar determinada, como la productividad de la parcela, según el general Lázaro Cárdenas y de acuerdo con el artículo 123 constitucional, por un promedio conveniente que permita a cada familia la satisfacción de sus necesidades alimenticias, de vestuario, de alojamiento cómodo, de placeres honestos y de educación.

La defensa del salario se convirtió en una ingente causa nacional, sobre todo en las explotaciones manejadas por capitales extranjeros y afectas en su mayor parte a los yacimientos minerales y a la producción de materias primas que iban fuera del país. A cambio de la caudalosa riqueza que extraía de la tierra, ese capitalismo sólo nos dejaba salarios miserables y modestos impuestos fiscales. Era, en consecuencia, una reivindicación profundamente patriótica la que se hiciera del patrimonio de los proletarios mexicanos al servicio de empresas extranjeras. La revisión social ocupó un importante sitio en las cuestiones del trabajo que preocuparon al presidente electo. "Se creará —dijo terminantemente— el seguro obrero, que está pendiente de decretarse. Este seguro cubrirá a los trabajadores de los riesgos de accidentes y enfermedades no profesionales, de desocupación, vejez, incapacidad y muerte."

Pero hay aparte una labor, de orden más vasto, que correspondió por igual a todos los miembros de la colectividad y

[53] Declaraciones de 18 de marzo de 1934 en Mérida, Yuc.

que tendía a asegurar medios eficaces para establecer "el principio de que todos los hombres del país deben tener trabajo suficientemente remunerado para sostenerlos con sus familias en un nivel económico accesible a la educación; pues para que un pueblo pueda instruirse es necesario que pueda sustentarse y disponga del tiempo necesario para el estudio".[54]

Del problema de los sin trabajo, dijo el general Cárdenas: "Puede tener solución en las grandes extensiones de tierras fértiles, sin cultivo, que abundan por todo el país, así como en los numerosos yacimientos de diversa índole, aprovechables, que encierra nuestro suelo y que prometen grandes facilidades para un positivo desarrollo industrial ... Y si todas estas riquezas que contiene nuestro territorio las ponemos en explotación en beneficio de quienes directamente las trabajan, según los anhelos de la Revolución, millares de obreros del campo y de la ciudad, sin ocupación o disfrutando un salario exiguo, encontrarán así la solución de sus necesidades." [55]

La cuestión de los hombres sin trabajo, en concepto del general Cárdenas, "corresponde de lleno a la responsabilidad del Estado, ya que éste asume la representación total de la sociedad, y son las desigualdades de clase, las imprevisiones y yerros en la producción de bienes y la anarquía en la concurrencia en los mercados, las causas más importantes por las cuales periódicamente centenares de hombres son lanzados a la desocupación".[56]

Perfectamente encuadrado dentro de la tesis antes escrita, queda, pues, el siguiente propósito de acción: "Ciertamente —dijo el general Lázaro Cárdenas— que la creación de una fábrica se debe, dentro de nuestros sistemas económicos, al esfuerzo de los empresarios. Pero cierto es también que nada podría hacerse sin el esfuerzo acumulado de los trabajadores. Considero que es antisocial el hecho de que una maquinaria productiva se encuentre inactiva y que, por tanto, el hecho mismo reclama la intervención del Estado. Si soy llevado a la Presidencia de la República, todas aquellas fábricas paradas cuyos propietarios no puedan ponerlas nuevamente en marcha, serán tomadas en arrendamiento y entregadas a los obreros, organizados en cooperativa, a fin de que, bajo la dirección del Estado, las exploten en su beneficio." [57] Des-

[54] Discurso de 25 de junio de 1934, en Villa Cuauhtémoc, Chih.
[55] Declaraciones de 18 de marzo de 1934, en Mérida, Yuc.
[56] Discurso de 25 de junio de 1934, en Villa Cuauhtémoc, Chih.
[57] Declaraciones de 14 de mayo de 1934, en Ticuí, Gro.

pués de examinar este capítulo y los que precedentemente trataron de la capacitación técnica del proletariado, se puede comprender en todo su alcance, en toda su madurez, la frase que entregó a la multitud el general Cárdenas a su arribo a la ciudad de Querétaro: "Siempre estaré al servicio de los obreros y campesinos." [58]

Política demográfica

El recorrido que el general Cárdenas realizó por el territorio nacional pudo convencerlo de la necesidad de estudiar una política demográfica que tuviera como aspectos esenciales los siguientes: primero, realizar una redistribución lógica de la población, desplazando a los campesinos y montañeses de las zonas estériles o sobrecargadas hacia regiones más productivas, y descongestionando las ciudades en favor de los campos; y segundo, reincorporar al territorio nacional a todos aquellos compatriotas que emigraron a Norteamérica en busca de mejores y más felices condiciones de vida y que ahora, al sufrir allá las persecuciones derivadas de una crítica situación económica, ansían encontrar en México una oportunidad satisfactoria para aportar al progreso del país la experiencia y conocimientos que han podido adquirir en un medio productor más avanzado.

Este segundo concepto pone nuevamente de manifiesto la visión y vigencia de la ideología del general Cárdenas, ya que en nuestros días, después de tantos años y tratados o arreglos bilaterales entre los Estados Unidos y México, y pese a la grande necesidad de trabajadores del campo por parte de la nación vecina, el problema del bracerismo cobra palpitante actualidad y adquiere complejos visos de imposible solución. "Resolver el problema rural de México —dijo el general Cárdenas— no sólo consiste en la satisfacción de los postulados del programa agrario, sino en desplazar la población de las regiones estériles y de las zonas montañosas, donde hay grandes núcleos, especialmente indígenas, relegados por los excesos de la Conquista, hacia zonas fértiles y de escasa o ninguna población". [59] "Para los núcleos —agregaba después— que habitan zonas estériles, se realizará una campaña de convencimiento para desplazarlos a zonas productivas en

[58] 6 de diciembre de 1933.
[59] Declaraciones de 1º de mayo de 1934, en la ciudad de México, D. F.

donde logren mejorar sus condiciones generales." [60] Para evitar el fenómeno de la "pulverización de la tierra", el general Cárdenas dijo: "Cuando la cantidad de tierra disponible no baste para todos los campesinos que a ella tienen derecho, que se reparta hasta donde alcance, designando por sorteo a los jefes de familia favorecidos, y que los demás sean trasladados a lugares donde existan los terrenos necesarios." [61]

Igual tesis es aplicable a las ciudades que soportan masas de población superiores a las que normalmente pueden sustentar con los recursos de su industria y de su comercio. La mirada sagaz del general Cárdenas, y la experiencia de largos años de lucha refrendada por el fructífero viaje que hizo por todo el país, penetró a la entraña misma del problema de la congestión de las ciudades que —aun siendo incipiente, ya que no presentaba ninguna de las agudas características que lo definen en las grandes urbes de Norteamérica y Europa— amenazaba ya convertirse en grave rémora para el desarrollo armónico de la riqueza pública.

El progreso industrial acarrea consigo, en todo el mundo, la concentración de grandes masas humanas en los centros de producción. Con particular fuerza se presentan en este continente claros ejemplos de la succión que las ciudades hacen sobre los campos, restándoles elementos y creciendo a costa suya. En los Estados Unidos, Chicago se improvisó en el curso de unos cuantos años en una urbe gigantesca. En nuestro país, el caso de Torreón y el de Monterrey, por no contar el de la capital de la República, son concluyentes. En los países cuya economía ha ingresado francamente a la fase de la industrialización, el fenómeno es natural, inevitable y corriente. Las grandes instalaciones productivas, las maquinarias de poderosa energía, los altos salarios, los placeres de la vida moderna, son alicientes más que sobrados para que los sanos trabajadores rurales abandonen la paz de sus campiñas, cambiándola por el ruido perpetuo de la urbe.

En México, sin embargo, el fenómeno de la congestión demográfica en las grandes poblaciones está influido por factores ajenos al desarrollo económico propiamente dicho, y es, en cierto modo, artificial. En efecto, la formación de los ejércitos del pueblo durante la lucha armada, desplazaba al elemento humano de los campos hacia el teatro de la guerra. Cuando la paz se hizo en nuestro territorio, el arribo

[60] Manifiesto de 30 de junio de 1934, en Durango, Dgo.
[61] Discurso de 27 de junio de 1934, en Durango, Dgo.

al poder de los líderes de la Revolución —todos ellos originarios de la provincia— acarreó hacia la capital gran número de ciudadanos llamados a las responsabilidades del gobierno. Y una y otra cosa hicieron que se acumularan en la metrópoli —y de hecho en todas las poblaciones importantes de la república— grandes masas humanas que, una vez pasada la razón de ser de su éxodo, no retornaron a su antiguo acomodo sino que prefirieron permanecer en los centros urbanos, dependiendo de las aleatorias fuentes de ingreso de los presupuestos públicos, o bien dedicándose al comercio o algún otro tráfico de distribución de riquezas y no de creación de las mismas.

Ahora bien, el carácter primerizo de nuestras industrias, la carencia de equipos modernos, la atonía crónica de la vida económica, han hecho que las ciudades no ofrezcan a sus moradores las garantías de existencia que éstos reclaman. Es un hecho de todos conocido el bloqueo que los demandantes de ocupación establecen en todas las oficinas públicas, en las casas de comercio, en las poco numerosas fábricas establecidas. Es un hecho también que, merced a la oferta de brazos, el salario se mantiene en términos de inferioridad, inclusive respecto del que las leyes marcan como mínimo. Abundan los trabajadores a destajo y a domicilio, hay infinidad de familias que se mantienen en transacción cotidiana con el hambre. Y hay ya una gran cifra de desocupados engrosada por las corrientes de repatriados que inundan periódicamente nuestras fronteras y se derraman después por todo el país, prefiriendo siempre las ciudades para restablecer su situación. Mientras tanto, los campos permanecen sin cultivo. Enormes extensiones de tierras fértiles, de bosques, de pastizales, yacen desiertas, improductivas, totalmente sustraídas a la actividad económica. Y estas extensiones reclaman el esfuerzo del hombre: piden la reciedumbre de los pioneros que al fin se decidan a construir en ellas su bienestar, contribuyendo así al bienestar de todos. El examen de unas cuantas cifras estadísticas es la más elocuente razón que puede ofrecerse en apoyo del llamamiento que hizo al país al general Cárdenas.

Según la Dirección General de Estadística, el número de hombres sin trabajo (solamente hombres) en la república, observa la siguiente curva ascendente entre los años de 1930, 1931 y 1932: 89 590, 287 426 y 339 378. Los datos relativos al año de 1933, no se encuentran completos porque faltan las evaluaciones correspondientes al Distrito Federal. Sin contar, pues, los desocupados de esta jurisdicción, el número de los sin trabajo en el resto del país se estimó en 276 641. En 1931, el Distrito Federal acusó un total de 29 483 desocupados. Podemos, en consecuencia, afirmar que en nuestro país existía en ese tiempo un total aproximado de 300 mil hombres carentes de medios de vida, sin contar con la infinidad de mujeres que eran ya un factor económico y a las cuales no incluían las estadísticas.

En contraste con los anteriores datos, obraban en la propia Dirección General de Estadística los siguientes datos: la superficie total de labor en la república (terrenos de regadío, de humedad, de temporal y de frutales) era de 14 517 699 hectáreas. Agregando las superficies dotadas de riqueza forestal, los pastizales y las tierras incultas productivas (tierras de ixtle, lechuguilla, etc.), se tenía un total de 110 800 920 hectáreas susceptibles de explotación. Pero es el caso que sólo se cultivaban 7 223 714 hectáreas. Esto es, había 103 577 206 hectáreas vírgenes de todo esfuerzo humano. El 93.48 % de nuestra superficie cultivable estaba abandonado, es decir: 103.5 millones de hectáreas improductivas, y había en cambio 300 mil familias en difícil lucha contra el hambre.

Claro es que en los campos también existe el problema de la desocupación. Pero es indudable que sus focos más intensos se encuentran localizados en las ciudades. Por otra parte, el problema no puede reducirse a la sola fórmula de que la gente huya de la urbe para volver al surco. Muchas graves cuestiones derivan de la que inicialmente formuló desde entonces el general Lázaro Cárdenas. Pero la esencia de su llamamiento es inmutable. Con trazo seguro, el presidente electo dijo a la nación: "No debe haber hambre en un país que como el nuestro tiene tan vastos recursos agrícolas en su territorio."

Los repatriados

En la frontera del norte, el general Lázaro Cárdenas tendió su vista hacia lo que, con fina percepción popular, se ha dado en llamar el "México de allá". Apoyado en las prescripciones del "Plan Sexenal" y en las experiencias realizadas por el gobierno de la república, y particularmente por la última administración, el presidente electo dirigió una invitación —que en el siguiente sexenio se ratificaría prácticamente— a "todos nuestros compatriotas que, en otras épocas, emigraron de la patria para ir a buscar a extraños países progreso y mejora-

miento y quienes ahora son, en gran parte, víctimas de persecuciones o no encuentran ya medios de subsistencia".[62]
"Nuestros compatriotas residentes en el extranjero deben volver los ojos a este país y disponerse a convivir con nosotros,
aportando la experiencia de sus luchas en el extranjero y
laborando aquí con igual tesón y entusiasmo para su propio
beneficio y el de la colectividad." [63]

La repatriación de mexicanos se haría en todos los casos
de manera lógica y previsora, a fin de que "no venga un solo
compatriota a vivir nuevamente entre nosotros sin que se
hayan tomado todas las providencias indispensables para ase-
gurarle abrigo y sustento, evitándole las penalidades de la
miseria".[64] Y esta determinación, tomada por el presidente
electo al estudiar personalmente, en el terreno, los resultados
obtenidos en las colonias de repatriados que funcionaron
entonces, se ratificó en actos expresos: en el curso de la gira,
el general Lázaro Cárdenas se mantuvo atento a la posibilidad
de establecer en determinadas regiones centros económicos
con poder suficiente para la manutención en buenas condiciones de varios millares de familias reintegradas al país. Así,
por ejemplo, el presidente electo repasó con particular minu-
cia los proyectos de ampliación del valle de Matamoros, en
Tamaulipas, aledaño a la frontera; proyectos que compren-
dían obras de defensa contra las inundaciones, de colonización y de extensión agrícola, para que la superficie cultivable
se ensanchara de 20 mil hectáreas con que contaba entonces,
a 100 mil, con capacidad de albergue para 15 mil familias de
repatriados.

Reivindicación de las riquezas exhaustivas

"Es oportuno declarar —manifiesta el general Cárdenas—
que el sentido nacionalista de nuestra política económica no
representa una actitud de puerta cerrada o de hostilidad al
espíritu organizador de nacionales y extranjeros que pretendan
asociar sus esfuerzos con nuestro engrandecimiento, usufructuando nuestras existencias naturales siempre que se ajusten
a las leyes de la Revolución y respeten nuestro gobierno, y
que al acogerse a la protección que la patria les ofrece fin-

[62] Discurso de 15 de junio de 1934, en Matamoros, Tamps.
[63] Discurso de 15 de junio de 1934, en Matamoros, Tamps.
[64] Declaraciones en la Costa Grande de Guerrero, 16 de mayo
de 1934.

quen su hogar y gocen de sus bienes, corriendo la misma suerte que los hijos de México." [65] De igual modo, las anteriores frases envuelven una definición positiva —la del sentido del nacionalismo económico en México— y una negativa —la caracterización plena de los procedimientos de que se ha valido el capitalismo extranjero— para operar en nuestro país.

Como el propio presidente electo lo señaló con palabras precisas, el rasgo distintivo de los países de economía colonial o semicolonial estriba en la extracción de materias primas y de minerales preciosos que, a cambio de mano de obra barata y de exiguas imposiciones fiscales, hacen las compañías internacionales. Y éstas, que se arrogan para sí los más ominosos privilegios de extraterritorialidad, no comparten la suerte del país, no conviven sus vicisitudes; aprovechan sólo las eras de bonanza y cargan a la cuenta de los reajustes y de las reclamaciones las épocas de depresión económica o de intranquilidad pública. Un subsuelo dotado de abundantes riquezas, como el nuestro, es imán que atrae con mayor fuerza al capitalismo internacional de cuya estadía en un país débilmente conformado dependen en gran proporción los accidentes violentos dentro de la vida política y el empobrecimiento progresivo de sus habitantes.

La independencia económica del país debe fincarse, en consecuencia, en la liberación del subsuelo de las explotaciones usuarias a que ahora está sujeto. La existencia del oro, de la plata, del petróleo y del hierro en las profundidades de la tierra, será siempre una garantía para el futuro, constituye desde ahora el patrimonio de las generaciones venideras. El caudal de riquezas extraído por manos extrañas, en cambio, beneficia directamente a los países sobre los cuales se proyecta y deja en el nuestro, según la expresión del general Cárdenas, tan sólo "tierras yermas, subsuelo empobrecido, salarios de hambre..."

El "Plan Sexenal" demarcó las medidas defensivas que habría de adoptar el estado mexicano para la protección de las riquezas del subsuelo; y el presidente electo, de su parte, en todos aquellos sitios del país afectos a la explotación de los recursos minerales, lanzó su palabra clara en apoyo y ampliación de las prescripciones de dicho plan de gobierno.

En Acapulco, Pachuca, San Luis Potosí, Zacatecas y Parral, el problema minero se trató sin eufemismos ni contemporizaciones. "Nuestros hombres de trabajo no sólo deben mirar

[65] Manifiesto de 30 de junio de 1934, en Durango, Dgo.

las praderas agrícolas ni las ciudades con fábricas. Deben ver hacia abajo, al subsuelo, donde se encuentran enormes riquezas que también les pertenecen y que tienen el derecho de extraer a la luz del día. Esta actitud de los mexicanos hacia los tesoros de la minería, debe inculcarse desde la escuela." [66] Después, en Zacatecas, se habló acerca de "los hombres olvidados por la Revolución: los mineros", que "viven seis días de la semana en la oscuridad; que se exponen a la asechanza de la muerte en cada barreno, y que cuando salen a la vida sólo llevan el deseo de borrar el cuadro siniestro de la profundidad y corren a la taberna para solicitar del alcohol la ayuda que nadie quiere prestarles en el mundo del sol, de las superficies cultivadas, de los cielos azules." [67] Junto a estas frases, rudamente poéticas, los datos que siguen hablan con igual elocuencia: "Ha sido fantástico el monto de la producción minera en nuestro país. De 1521 a 1930, el total de la producción real se estima así: oro 1 366 820 kg; plata, 166 129 298 kg; cobre, 974 041 178 kg; plomo, 2 378 759 294; zinc, 180 997 300; mercurio, 1 951 825; antimonio, 34 116 787; grafito, 81 596 018 ... Y estas enormes riquezas, que colocan a México como el proveedor del 50 por ciento de la producción metalúrgica mundial, ¿acaso han servido a nuestras clases sociales? ¿Acaso han creado, siquiera, millonarios mexicanos, o han llevado algún aliciente de vida a las manos de quienes entregan millones de pesos a las compañías extranjeras?" [68]

"No se seguirá confiando al capitalismo extranjero, mediante la ampliación de concesiones, la explotación del subsuelo. Por el contrario, ésta será hecha con recursos propios, a fin de beneficiar a los mexicanos y de manera que en todos aquellos casos en que no sea posible organizar al efecto capitales nacionales, se constituyan cooperativas de trabajadores que emprendan esos trabajos bajo la dirección técnica y con la ayuda económica del Estado, eliminando a los patrones inhumanos, nacionales o extranjeros, y distribuyendo las utilidades entre los productores mismos." [69] Para el efecto, de acuerdo con el "Plan Sexenal", se cumpliría en la letra y en el espíritu el artículo 27 constitucional, haciendo efectiva la nacionalización del subsuelo, fijando zonas exploradas

[66] Conversación en el rancho "Las Palomas", S.L.P., 13 de junio de 1934.
[67] Declaraciones de 10 de junio de 1934, en Zacatecas, Zac.
[68] Declaraciones de 10 de junio de 1934, en Zacatecas, Zac.
[69] Declaraciones de 10 de junio de 1934, en Zacatecas, Zac.

de reserva minera, renovables, que garantizaran el abastecimiento futuro de la nación; y se establecería un servicio oficial de exploración y de control que, entre sus principales funciones, tendría la de vigilar la explotación integral de los fundos mineros, en sus vetas pobres como en las ricas, por parte de las compañías extranjeras. El régimen de concesiones se modificó a fin de impedir el acaparamiento y de reducir la superficie de cada una de ellas. La exportación de minerales en bruto se impediría a fin de que se establecieran en el país plantas de beneficio. Y, por último, "se insistirá enérgicamente en que los mexicanos tengan acceso a los puestos directivos de las compañías mineras extranjeras." [70]

El programa de constructividad material

El programa de constructividad material sería uno de los más firmes sostenes de la vida del país, no sólo como recurso probado de gran eficacia para la rehabilitación económica sino como esfuerzo de integración orgánica de la nacionalidad dentro del concepto de patria que postula la Revolución. "Interpretando —dijo el general Lázaro Cárdenas— los compromisos contraídos con el pueblo por el órgano político de la Revolución, con mi formal protesta al aceptar mi postulación y con las promesas hechas durante la jornada electoral, me preocuparé por el fomento del intercambio económico derivado de la continuación de la política de irrigación, de carreteras y de nuevas vías férreas y aéreas, por el resurgimiento y nacionalización de la marina mercante, por que la abatida condición biológica de nuestras clases menesterosas y la salubridad de lejanas regiones sean atendidas de preferencia, por que se supriman las barreras alcabalatorias y se estimule el crecimiento de la producción, sin perjuicio de la suficiencia de los ingresos, y por que las funciones de los servidores públicos se asocien al desenvolvimiento de la vida económica, política y social de la Revolución... Las necesidades del país están exigiendo la construcción de nuevas vías férreas y el mejoramiento de las ya existentes. He recogido la impresión de que el sistema ferroviario requiere una organización general, tanto para facilitar la construcción de otras líneas como para obtener la rebaja de las tarifas de fletes, que contribuirán al desarrollo de la agricultura y de la industria... Se hará el estudio necesario del problema, bus-

[70] Declaraciones de 10 de junio de 1934, en Zacatecas, Zac.

cando el desarrollo integral, organizando el sistema en forma que queden garantizados los intereses de los ferrocarrileros, de la empresa y del público; y para ello espero contar con la cooperación del mismo elemento ferrocarrilero, que en distintas veces y por conducto de diversas comisiones me ha anunciado estar dispuesto a colaborar en el estudio y resolución del problema, así como ha colaborado hoy, respaldando mi candidatura." [71]

De acuerdo con este trazo de la conducta que seguiría durante su gobierno en esta materia el general Cárdenas, y en armonía con el "Plan Sexenal", se emprenderían las siguientes obras: conclusión de la carretera de Nuevo Laredo, Tamaulipas, a Acapulco, Guerrero, y construcción de la de Sonora a Chiapas; construcción de caminos locales que entroncaran con las vías férreas y con las grandes carreteras nacionales; construcción de las siguientes líneas de ferrocarril: de Ejutla, Oaxaca, a un puerto del Pacífico; de Uruapan, Michoacán, a un punto del río Balsas, con tendencia de ser prolongada a un puerto del Pacífico; de Santa Lucrecia, Oaxaca, a la capital del estado de Campeche; de Mazatlán a Durango; se construirían, además, todos los puertos aéreos fronterizos que requiera el servicio de aviación; se crearía la marina mercante; se adquirirían buques para el servicio mercante nacional, se ayudaría a las cooperativas de trabajadores del mar, de obreros de construcciones navales y de pescadores, a fin de nacionalizar el manejo de las líneas de navegación, la explotación de los astilleros y talleres, y el aprovechamiento de los productos de la pesca. Por último, se revisarían las leyes sobre la materia, creándose, además, una Dirección Autónoma de Servicios Marítimos.[72]

La enumeración precedente constituye el programa mínimo obligatorio que consta en el "Plan Sexenal" y que reafirmó en sus compromisos electorales el general Lázaro Cárdenas. Pero esto no excluyó el apoyo, denodado siempre y sólo sujeto a las limitaciones presupuestales, que se otorgó a toda obra de constructividad material emprendida por iniciativa privada o con recursos de los gobiernos locales.

Es importante señalar en este punto la orientación que seguiría el gobierno de la república, promoviendo "un reparto equitativo de los caudales públicos, en plan de igualdad para las ciudades y pueblos de México", de tal manera que

---

[71] Manifiesto de 30 de junio de 1934, en Durango, Dgo.
[72] Síntesis de las disposiciones relativas del "Plan Sexenal".

los grandes centros de población no sean privilegiados con la construcción de obras de ornato ni de lujo, en tanto que muchas aldeas y ciudades de menor importancia se debaten en las peores condiciones de vida: sin agua potable, sin luz eléctrica, carentes de servicios higiénicos y de edificios escolares. Los ahorros que en las nóminas federales y en las locales se logren por la simplificación de los trámites y la supresión de empleados superfluos, se dedicarán asimismo a dar impulso al programa de obras materiales.[73]

Entre los grandes proyectos aprobados en principio para el inmediato sexenio, se encuentra, por último, el de irrigación en la zona del Yaqui, invirtiendo 12 millones de pesos repartidos en cuatro años, con la espectativa de mantener aptas para un cultivo intensivo 300 mil hectáreas que la harían una de las regiones agrícolas más importantes del país.

La soberanía nacional

Una visión de conjunto sobre los propósitos que en materia económica abrigó el presidente Cárdenas, de acuerdo con el programa de su partido, muestra qué respaldo tan eficiente, qué seguridad tan completa tuvieron sus palabras cuando dijo, en síntesis general de conducta, lo que sigue: "Declaro que cumpliré con el deber que la patria impone a todos sus hijos, de velar celosamente por nuestra soberanía nacional y por el mantenimiento de nuestras cordiales relaciones con todos los pueblos, y en particular con los que nos unen tradiciones raciales e intereses económicos."[74]

[73] Declaraciones de 10 de mayo de 1934, en Taxco, Gro.
[74] Manifiesto de 30 de junio de 1934, en Durango, Dgo.

IV. La educación socialista

La GIRA del general Lázaro Cárdenas vino a poner de relieve un hecho no siempre suficientemente aclarado dentro del país, el ansia infinita de instrucción, de cultura, que poseían las masas, los campesinos que empezaban a disfrutar del ejido, los peones acasillados que unían en un mismo deseo la tierra y la escuela, los obreros urbanos, las comunidades agrícolas más avanzadas en las pequeñas poblaciones rurales. De pueblo en pueblo, por rancherías y aldeas; en todas partes se alzaron al paso del general Lázaro Cádenas peticiones semejantes: escuela, aumento del número de maestros, dotación de útiles escolares, materiales de construcción para el edificio de la escuela, becas o ayuda para que alumnos destacados concurrieran a los planteles de enseñanza superior.

Si en las capas más pobres de la población el anhelo de cultura se expresó en forma rudimentaria, constriñéndose a la simple solicitud de escuela, útiles y maestros, en los centros sociales más desarrollados, esto es, en los ejidos productivos, en los sindicatos obreros, en las poblaciones de más de mil habitantes, jamás faltaron representantes de la masa que a la exigencia de una labor educativa que abarcara todas nuestras comarcas, aunaran la petición de una reforma de fondo en la enseñanza, de manera de arrebatarle el carácter de monopolio que de una u otra manera ostentaba en favor de las clases privilegiadas, dejando ausentes de sus beneficios a los trabajadores mestizos y a los restos señeros de los primitivos pobladores del territorio.

Crítica del laicismo

La certera crítica popular en contra de las formas usuales en la enseñanza, se concretó siempre en un deseo expreso de que el laicismo desapareciera como condición constitucional en la materia. Con frecuencia se ha dicho que la Revolución, atareada en su obra de transformación económica, descuidó el dominio de la enseñanza, permaneciendo frente a las aulas en una postura contemplativa.

[72]

Ciertamente, los constituyentes de 1917 no ignoraron el problema de la escuela. La lectura del *Diario de los Debates* de Querétaro arroja ancho caudal de luz sobre su limpia intención: de buena fe creyeron que el solo ejemplo de la generación que hizo la lucha armada bastaría para que la niñez y la juventud se situaran en planos avanzados, y por sí solas corrieran a la izquierda del frente de lucha tradicional. Creyeron entonces, también, que el laicismo era ya una actitud avanzada, activa, en tanto que permite a todas las inteligencias el acceso a un libre análisis de las cuestiones morales y filosóficas, en tanto que otorga a la razón un privilegio absoluto sobre el dogma y el "apriorismo". La experiencia de aquellos años demostró, sin embargo, que la Revolución requería un programa francamente combativo en la enseñanza, si es que había de salvar las conciencias juveniles del ordinario y retrógrado manipuleo del clérigo.

Un profundo conocimiento de esta verdad hizo decir al general Cárdenas, siendo todavía gobernador del estado de Michoacán: "El laicismo, que deja en libertad a los padres para inculcar en sus hijos las modalidades espirituales que mayor arraigo tienen en su hogar, prácticamente produce resultados negativos en la escuela, porque quita a ésta la posibilidad de unificar las conciencias hacia el fin por el cual viene luchando la Revolución, consistente en impartir a los hombres y pueblos nociones claras de los conceptos racionales en que se mueve la vida, en todos los órdenes y planos de la existencia y muy particularmente en cuanto atañe a los deberes de solidaridad humana y de solidaridad de clases, que se imponen en la etapa actual de nuestra vida de relación."[1]

Esta crítica obtuvo, al terminar la última campaña cívica, esta ratificación de maduro y experimentado contenido: "La enseñanza laica, preconizada por el artículo 3o. constitucional, se explica como un triunfo de los constituyentes del 57 al desaparecer de los códigos la imposición de la religión católica como religión oficial, como consecuencia de la separación de la Iglesia y del Estado y del imperio de la ley sobre aquélla: mas la subsistencia del texto y la supervivencia anacrónica de su interpretación liberalista, mantienen al Estado como neutral en contra de la función activa que le señala el moderno derecho público y obliga al gobierno de

[1] Informe gubernativo ante la H. Legislatura de Michoacán, 15 de septiembre de 1932.

la Revolución a reformarlo para continuar inquebrantable su compromiso de emancipación espiritual y material de la población mexicana." [2]

La educación, facultad exclusiva del Estado

La denuncia del carácter negativo del laicismo y de la realidad verdadera que entraña la petición de la "libertad de enseñanza", va aparejada con la fijación, en términos netos, sin salvedad alguna, de los deberes del Estado frente a la educación popular.

"...No permitiré —declaró el general Cárdenas en discurso muchas veces memorable— que el clero intervenga en forma alguna en la educación popular, la cual es facultad exclusiva del Estado. La Revolución no puede tolerar que el clero siga aprovechando la niñez y la juventud como instrumentos de división en la familia mexicana, como elementos retardatarios para el progreso del país y menos aún que convierta la nueva generación en enemiga de las clases trabajadoras... El clero no habla sinceramente cuando se dirige a la juventud. ¿Por qué hoy pide el clero la libertad de conciencia que ayer condenaba; ayer, cuando ejercía una dictadura sobre el espíritu del pueblo mexicano?... El clero pide hoy libertad de conciencia sólo para hacerse de un nuevo instrumento de opresión y sojuzgar las justas ansias libertarias de nuestro pueblo. Pero tal pretensión no es posible ya en México, porque afortunadamente existe una fuerte conciencia de clase entre los trabajadores y porque esta conciencia exige que de día en día se den pasos de avance en el camino de las conquistas sociales." [3]

La facultad exclusiva que se reserva el Estado para la dirección de la enseñanza pública en todas sus fases, entendiendo la "libertad de enseñanza" —como lo dice el "Plan Sexenal"— sólo en el sentido de que algunos particulares pueden ejercer esa función, autorizados, vigilados estrechamente y supervisados por el gobierno, quedó inequívocamente trazada en las frases que coronaron la campaña electoral. "Reconocida la educación pública —afirmó categóricamente el general Lázaro Cárdenas— no sólo como un primordial servicio colectivo del que depende la unificación del sentir y de la acción nacionales, sino también la redención eco-

---

[2] Manifiesto de 30 de junio de 1934, en Durango, Dgo.
[3] Discurso de 21 de junio de 1934, en Gómez Palacio, Dgo.

nómica de los trabajadores, no puede eludir el Estado su posición directriz en la revisión de los programas de los planteles educativos, lo mismo privados que oficiales. Con acierto previene el "Plan Sexenal" que no se limite la injerencia de las autoridades a la orientación científica y pedagógica del trabajo escolar, sino que también se empeñe en desterrar la anarquía y el caos ideológico provocados por el ataque de los defensores del pasado y de los enemigos de las tendencias de solidaridad social que la Revolución impuso... Y consecuente con el criterio revolucionario de que corresponda al Estado la orientación educativa del país, no se permitirá que ninguna agrupación religiosa continúe proyectando su influencia sobre la educación nacional..." [4]

La escuela socialista

De las definiciones anteriores se desprende, iluminado con viva claridad, cuál fue el concepto que el movimiento social mexicano, el PNR y el presidente electo tuvieron de la nueva escuela, de la escuela socialista, cuya implantación, en concepto del general Lázaro Cárdenas, "intensificará la obra cultural que la Revolución ha emprendido para la emancipación del pueblo laborante, preparándolo científica y socialmente." [5]

En la escuela coexisten dos factores que, conjugándose, dan vida a la enseñanza. Uno es el factor metodológico, que indica la manera como el maestro llega a tocar mente y conciencia de su discípulo; la forma que se emplea para producir experiencias en el alumno, asimisación de las instrucciones recibidas, aptitud para ponerlas en obra. Es éste sólo un factor de eficacia, un vehículo para la transmisión de orientación determinada. Con igual técnica pedagógica pueden producirse discípulos de la burguesía al servicio del capitalismo, o hijos de las clases productoras destinados a la lucha por la emancipación del proletariado.

La nueva pedagogía

La escuela socialista que proclamó el "Plan Sexenal" comprende ambos aspectos de renovación. En cuando a los programas y textos escolares, en cuanto a la técnica de la

[4] Manifiesto de 30 de junio de 1934, en Durango, Dgo.
[5] Manifiesto de 30 de junio de 1934, en Durango, Dgo.

pedagogía, se exige unidad de sistema, modernidad científica, escuela activa, escuela hecha para la vida como un "laboratorio experimental",[6] donde entren en juego los estímulos de orden económico y social que rigen la evolución de las sociedades. Al considerar la situación absurda que los mexicanos han mantenido durante luengos lustros respecto de las riquezas naturales del país, abandonadas a manos extranjeras, el presidente electo señalaba la necesidad de que los hombres "procuren acercarse cada vez más a la tierra, se vinculen estrechamente con ella para explorarla incesantemente, para conocerla en todas sus posibilidades y recursos, y para arrancarle sus tesoros en provecho del proletariado y de la colectividad nacionales".[7]

Trasladando esa actitud del campo económico al educacional, el general Cárdenas añadió: "Es imperioso llevar ese mismo espíritu de esfuerzo a los niños, acostumbrándolos a pensar que toda actividad y, sobre todo, la actividad escolar que ellos desempeñan, tiene un objeto; habituándolos a la idea de que viven en el seno de una gran sociedad cuyos intereses deben servir y que han de ser contribuyentes efectivos para la prosperidad general. Por medio de juguetes, de libros, de labores escolares, de propaganda gráfica y literaria, los niños deben enseñarse a conocer nuestro suelo para aprovechar más tarde sus innúmeros recursos".[8]

En cuanto a la unidad metodológica de la enseñanza, el "Plan Sexenal" manifestó que: "Se impone la necesidad de coordinar la acción educativa de los ayuntamientos, de los gobiernos locales y del gobierno federal, para evitar los graves inconvenientes que provienen de la disparidad de disposiciones, métodos y procedimientos que se han aplicado a esta materia",[9] y al efecto propuso la federalización de dirección de las escuelas primarias rurales y urbanas que deje en mano de los órganos centrales de la Secretaría de Educación Pública (Consejo de Educación Rural y Departamento de Enseñanza Primaria Urbana) la orientación de la enseñanza, sin privar a los gobiernos locales y ayuntamientos de las obligaciones que tienen de sostener un número determinado de escuelas.

[6] Declaraciones de 5 de enero de 1933 en Morelia, Mich.
[7] Conversación en el rancho "Las Palomas", S.L.P., 13 de junio de 1934.
[8] Conversación en el rancho "Las Palomas", S.L.P., 13 de junio de 1934.
[9] Declaraciones de 28 de marzo de 1934, en Villahermosa, Tab.

Los fines y contenido de la enseñanza

Mas el anterior no era un programa completo. Era preciso que las nuevas generaciones conocieran en la escuela la vida de su país, los resortes de su prosperidad, el utilitarismo que debe poseer todo esfuerzo. Era importante, pues, que se penetraran del ritmo de la evolución por medio del trabajo. Pero era aún más trascendente, más serio y de mayor responsabilidad que la niñez y la juventud encontraran en el aula, a la vez que un campo de entrenamiento para el ejercicio de sus facultades, un instrumento definido de lucha en favor de las clases proletarias.

"Ya no más —es concepto del general Cárdenas— la escuela anodina, que sólo enseña a leer, a escribir, a clasificar las plantas; que desarrolla, en fin, una habilidad manual o intelectual en cada individuo y que lo deja entregado a sus propios impulsos. La escuela es un arma de combate, un instrumento de precisión que hace conocer la vida social, que la critica y la sujeta a la influencia de normas transformadoras. La misión de la escuela no es sólo hacer ciencia, ciencia pura ajena a los dolores del explotado, a los ingentes problemas de la patria, pues la ciencia en sí carece de sentido humano. Para ello basta recordar que los medios científicos (gases asfixiantes, radio, motores, vehículos aéreos, etc.) se emplearon en la Gran Guerra para destruir a la humanidad, lanzando, en nombre de la 'justicia' capitalista, a los jóvenes, campesinos y obreros, a una contienda sin cuartel en la que los únicos beneficiados fueron los intereses mercantilistas, que sólo deseaban el poder para seguir acumulando dinero y más dinero." [10]

"Es necesario estimular la enseñanza utilitaria y colectivista que prepare a los alumnos para la producción, que les fomente el amor al trabajo como un deber social, que les inculque la conciencia gremial para que no olviden que el patrimonio espiritual que reciben está destinado al servicio de su clase, pues deben recordar constantemente que su educación es sólo una aptitud para la lucha por el éxito firme de la organización".[11] Preparar en la nueva generación el advenimiento de las clases proletarias al dominio de los instrumentos sociales de producción, es llevar a la escuela la Revolución.

[10] "Plan Sexenal", texto oficial, página 84.
[11] Manifiesto de 30 de junio de 1934, en Durango, Dgo.

Necesidad de un magisterio revolucionario

Hay que trabajar, en la enseñanza socialista, con nuevos programas, con nuevos textos, con nuevas orientaciones; pero antes, y esto es de gran importancia, hay que contar con nuevos maestros. Siendo gobernador de Michoacán, el general Cárdenas otorgó cuidadosa atención al problema del magisterio revolucionario forjado en las escuelas normales regionales y en la Escuela Normal Mixta de la capital del estado. "Nunca más —declaraba entonces el presidente electo— debe figurar el educador como el individuo que desde un estrecho recinto se conforma con impartir a sus educandos nociones generales, muchas veces confusas, de una ciencia que, en multitud de ocasiones, se halla al margen de las realidades de la existencia. Frente a este tipo magisterial que no ha alcanzado en la sociedad ni la influencia ni la consideración que se deben a su ministerio, debe alzarse el guiador social que penetre con valor en la lucha social; no el egoísta que se conforme con defender los intereses específicos de los suyos sino el conductor que penetre con pie firme al surco del campesino organizado y al taller del obrero fuerte por su sindicalización, para defender los intereses y aspiraciones de unos y otros y afianzar las condiciones económicas de ambos; el encauzador que defienda los intereses y aspiraciones del niño proletario en el calor de la lucha social, porque tanto como saber modelar en forma integral las aptitudes y funciones espirituales del niño, interesa el encarrilamiento legal de los padres en la conquista, cada vez más firme y dignificante, de los derechos del trabajador".[12]

"Tenemos la esperanza —decía el general Cárdenas en su campaña electoral— de que los maestros sean los guiadores no sólo de la niñez, sino de los hombres de trabajo. La Revolución no quiere que se pierda el tiempo esperando que los niños de hoy crezcan con una nueva orientación, sino que quiere que los hombres de hoy cambien de criterio para que con un nuevo sentido de su responsabilidad, vengan a participar en el movimiento económico que la República busca en favor de los trabajadores".[13] Concepto de enorme interés si se considera que la vida del país, sobre todo en las comarcas rurales y en los pueblos de artesanos, tiende a

[12] Informe gubernativo de 15 de septiembre de 1932, en Morelia, Mich.

[13] Discurso de 17 de marzo de 1934, en la Escuela Preparatoria de Mérida, Yuc.

encontrar su centro de gravedad en la figura del maestro, elemento el más apto y a quien se supone el mejor intencionado y capaz, por tanto, de proveer de orientaciones adecuadas a las pequeñas colectividades, a los sindicatos y comités agrarios mismos. "Que el maestro no se detenga en la acción puramente escolar, que no quede confinado en su actividad sobre los educandos, sino que vaya al taller, al campo, para defender los intereses obreros y especialmente para defender el salario de los trabajadores, porque al hacerlo defiende las posibilidades educativas de su discípulo", y que el maestro no obre sólo por sí; bien puede multiplicarse en "la acción extraescolar de los niños, que no son receptores pasivos de la enseñanza de las aulas, sino agentes de propaganda en favor de la sanidad, trabajo y moralización en cada uno de los barrios, en el ambiente que los circunda." [14]

Estar presente en la escuela y en todos los hogares del pueblo es la misión que impone el socialismo de la Revolución Mexicana a los maestros, al nuevo tipo de maestros que "no sólo trasmitan sus conocimientos sino que siempre los hagan fecundos, marcando orientaciones, moldeando hombres, definiendo personalidades".[15] A fin de que se forjara ese nuevo tipo de educador, el "Plan Sexenal", por su parte, proveyó formas para la creación de un magisterio revolucionario, cuestión que adquirió vital interés si se considera que en un altísimo porcentaje los profesores al servicio del Estado eran profesantes de la religión católica, según datos estadísticos del Censo.[16]

"...Merecerá atención preferente del Estado —dice el plan de gobierno— el establecimiento de escuelas normales en las que se impartan los conocimientos necesarios para desempeñar la función de maestro rural, que comprende no sólo la educación primaria sino también lecciones de agricultura, elementales y prácticas, pero técnicamente organizadas con el objeto de mejor capacitar a los maestros rurales para que cumplan con la misión social de orientar a los campesinos, con quienes habrán de convivir en la resolución de la mayoría de sus problemas prácticos. Consecuentemente con este criterio, se vincularán las escuelas normales y las de agricultura práctica, integrándolas en instituciones regionales cuyo principal objetivo deberá ser fijar los principios básicos y los procedimientos de la explotación racional de la

[14] Declaraciones de 28 de marzo de 1934, en Villahermosa, Tab.
[15] Declaraciones de 2 de julio de 1934, en Durango, Dgo.
[16] Censo de 1932. Departamento de Estadística Nacional.

tierra, y dar a los maestros, destinados a prestar sus servicios en los centros agrícolas, la más conveniente preparación profesional." [17]

Mientras todo esto se realizaba con el tiempo, quedó en poder del Estado una gran oportunidad para la orientación socialista de las labores escolares: el libro de texto, que a semejanza del maestro antañón era pedante, desconectado de la realidad y de los ideales mexicanos, vagamente sentimental y romántico en unos casos, y en otros hábil agente para inculcar "en las conciencias jóvenes el egoísmo, la filosofía del triunfo del más fuerte, el predominio del privilegiado y del injusto",[18] la doctrina de la caridad cristiana y, en fin, todos los conceptos que han servido desde los albores de la civilización occidental para asegurar la regencia indefinida de las minorías explotadoras.

Extensión educativa

El problema de la escuela no se refería sólo a la calidad y orientación de la enseñanza, sino muy particularmente a las posibilidades que ésta tiene de difundirse lo más ampliamente posible, condición indispensable en un país que, como el nuestro, alcanzaba la cifra 58 en el porcentaje calculado de analfabetismo. Para promover la extensión de la enseñanza, el "Plan Sexenal" proveyó tres caminos: fijó la obligación de destinar a la educación pública mínimos presupuestales que en el sexenio 1934-1939 tuvo inclusive la siguiente progresión: 15, 16, 17, 18, 19 y 20 por ciento; obligó a la fundación de 12 mil escuelas rurales, de las que 11 mil debían establecerse entre los años de 1935 y 1939 inclusive, y mil en el año de 1934, y manifestó el deber de vigilar estrechamente por que los patrones industriales y agrícolas sostuvieran las escuelas primarias que debían, conforme a los preceptos del artículo 123 de la Carta Fundamental.

El programa de educación extensiva era muy antiguo en el ánimo del general Cárdenas. Ya durante su gestión de gobernante, en Michoacán, le otorgaba particular interés, logrando la fundación de 400 escuelas de enseñanza primaria, rurales y urbanas, tanto a través del apoyo económico del gobierno como exigiendo a los patrones el cumplimiento del artículo 123 ya citado. En igual forma, el presupuesto

[17] "Plan Sexenal", texto oficial, página 86.
[18] Declaraciones de 2 de julio de 1934, en Durango, Dgo.

del estado dedicó gran parte de sus ingresos a fomentar la educación popular, y en este sentido el general Cárdenas, al recorrer el país, dio incesantes consejos a todos los mandatarios, excitándolos a reducir las necesidades burocráticas de sus administraciones para estar en aptitud de destinar fondos en progresión cada vez mayor a la enseñanza popular.

Un tipo especial de escuela

Un aspecto muy importante en la concepción que el general Cárdenas tiene de la educación, lo constituye el tipo especial de planteles creado por él en el desempeño de sus funciones militares, en la época ya lejana de 1925: las escuelas "Hijos del Ejército", que, cuando existan al lado de todos y cada uno de los cuarteles de la república, permitirán a los pequeños hijos de los soldados obtener instrucción primaria ininterrumpidamente, cualesquiera sean los cambios de lugar que afecten a las corporaciones militares. De esta manera, la Revolución reconoce explícitamente una de sus más caras obligaciones: la de retribuir en moneda duradera, en moneda de futuro, la abnegación de aquellos sus ciudadanos que la proclamaron y llevaron al triunfo en los años de la guerra y que la defienden de todo riesgo en el presente.

La enseñanza superior

En la esfera superior del problema educativo, se mueven las cuestiones que atañen a la enseñanza técnica. "La educación superior debe abandonar —se declaró en la gira electoral— sus orientaciones en favor de las profesiones liberales para hacerse eminentemente técnica. En cada centro industrial y al lado de cada gran factoría, una escuela técnica para los asalariados".[19] Datos estadísticos de valor apoyaron esta necesidad: 100 mil extranjeros controlaban un 99 por ciento de las industrias extractivas y un 60 por ciento de las de transformación, haciendo que las utilidades de la producción se repartieran entre sólo un 0.71 por ciento de la población total de México.[20]

Por otra parte, frente a la necesidad que nuestros campos y las industrias establecidas en México tienen de técnicos debidamente capacitados para desplazar a los extranjeros;

[19] Declaraciones de 5 de enero de 1934, en Morelia, Mich.
[20] Declaraciones de 5 de enero de 1934, en Morelia, Mich.

frente, también, al imperio con que las masas proletarias reclaman hombres emergidos de su seno que posean conocimientos necesarios para conducirlas al usufructo de la riqueza pública, se muestra una plétora de profesionistas liberales ligados a la burguesía, que no son sino materia prima para la formación de clases parasitarias o que integran lo que se ha caracterizado en nuestro medio como "proletariado intelectual", esto es, como grupos flotantes de profesionistas que se ven obligados a trabajar en actividades distintas de las que vocacionalmente eligieron, ostentándose en la mayor parte de los casos como aspirantes a puestos burocráticos de exigua categoría.

Cobran en este punto nueva importancia las palabras del general Cárdenas: "Ni la industrialización del país ni mucho menos la economía socialista, podrán avanzar sin la preparación técnica de obreros y campesinos calificados, capaces de impulsar la exploración de nuevas fuentes productivas y de participar en la dirección de las empresas".[21] El presidente electo, a continuación, robustece y complementa su concepto al señalar la obligatoriedad de que la enseñanza técnica afirme la conciencia de clase de los trabajadores y haga que éstos sean realmente útiles a sus organizaciones en vez de desvincularse de sus hermanos y constituir una casta de neoprivilegiados por la cultura.

"A veces se pretende capacitar a los hijos de los proletarios para que también ellos se beneficien de la cultura superior, pero entonces el problema asume aspectos trágicos; cada obrero que pasa a formar en las filas universitarias o en las de las escuelas técnicas, no es, por lo general, el líder que regresa a llevar cultura y orientación a los suyos sino el hombre que les vuelve la espalda y se entrega sin escrúpulos a la burguesía. En estas condiciones, cada hijo de obrero que penetra a las escuelas de instrucción superior, universitarias o técnicas, es un líder en potencia que pierden el sindicato o la organización campesina y un técnico más que irá a rendirse al servicio de los poseedores de la riqueza. La crema del proletariado pasa a ser, por virtud de este fenómeno, festín rico para el gusto de la burguesía."[22] Y quizás aquí debe encontrarse la razón del filantrópico placer que muchos empresarios sienten al patrocinar los estudios de los hijos de sus asalariados.

Por todo lo anterior, resulta de interés para la definición

[21] Manifiesto de 30 de junio de 1934, en Durango, Dgo.
[22] Declaraciones de 28 de marzo de 1934, en Villahermosa, Tab.

del futuro, el estudio de un antecedente que con frecuencia se ha traído a memoria en los problemas educativos: la gestión gubernativa del general Cárdenas en su estado natal. "...Se hizo surgir en la capital de Michoacán, utilizando edificios legados por la era monástica de la tradicional Morelia, la Escuela Técnica Industrial "Álvaro Obregón" y la Escuela Industrial "Josefa Ortiz de Domínguez", planteles cuya organización fue proyectada de acuerdo con las necesidades de masas que, como las michoacanas, no desarrollan su economía bajo el signo distintivo de la industria sino de la agricultura, y que por tanto precisan más del artesano competente, del pequeño industrial, que del obrero calificado indispensable en las grandes urbes. Las escuelas industriales, en consecuencia, se erigieron como internados para el provecho de los niños pertenecientes a las clases pobres, y en particular para el provecho de los huérfanos, creando en los alumnos el compromiso solemne de que, una vez terminado su ciclo de instrucción habrían de volver al solar nativo, reincorporándose a su grupo social".[23]

Los lineamientos trazados en los párrafos anteriores, previo ajuste de las condiciones del medio económico en cada lugar determinado, serían los que vigilarían el cumplimiento de los postulados del "Plan Sexenal" en cuanto hace a la enseñanza técnica impartida a los trabajadores mediante el sistema de becas otorgadas por el gobierno.

La reforma constitucional

Los antecedentes que constan en estas páginas, así como el examen de los profundos estudios realizados por el comité ejecutivo nacional del Partido Nacional Revolucionario y por las comisiones dictaminadoras correspondientes en ambas cámaras del Congreso federal, dotan de su contenido preciso y otorgan todo su alcance al texto del artículo tercero constitucional que, con la reforma que implica la implantación de la enseñanza socialista, quedó redactado en los siguientes términos:

Artículo 3º. La educación que imparta el Estado será socialista, y además de excluir toda doctrina religiosa, combatirá el fanatismo y los prejuicios, para lo cual la

[23] Manjarrez, F. C., y G. Ortiz Hernán, Biografía del general Lázaro Cárdenas, páginas 73-74.

escuela organizará sus enseñanzas y actividades en forma que permita crear en la juventud un concepto racional y exacto del universo y de la vida social.

Sólo el Estado —federación, estado, municipio— impartirá educación primaria, secundaria o normal. Podrán concederse autorizaciones a los particulares que deseen impartir educación en cualquiera de los tres grados anteriores, de acuerdo en todo caso con las siguientes normas:

I. Las actividades y enseñanzas de los planteles particulares deberán ajustarse, sin excepción alguna, a lo preceptuado en el párrafo inicial de este artículo, y estarán a cargo de personas que, en concepto del Estado, tengan suficiente preparación profesional, conveniente moralidad e ideología acorde con este precepto. En tal virtud, las corporaciones religiosas, los ministros de los cultos, las sociedades por acciones que exclusiva o preferentemente realicen actividades educativas, y las asociaciones o sociedades ligadas directa o indirectamente con la propaganda de un credo religioso, no intervendrán en forma alguna en las escuelas primarias, secundarias o normales, ni podrán apoyarlas económicamente.

II. La formación de planes, programas y métodos de enseñanza corresponderá en todo caso al Estado.

III. No podrán funcionar los planteles particulares sin haber obtenido previamente, en cada caso, la autorización expresa del poder público.

IV. El Estado podrá revocar, en cualquier tiempo, las autorizaciones concedidas; contra la revocación no procederá recurso o juicio alguno.

Estas mismas normas seguirá la educación de cualquier tipo y grado que se imparta a obreros o campesinos.

La educación primaria será obligatoria y el Estado la impartirá gratuitamente.

El Estado podrá retirar discrecionalmente y en cualquier tiempo el reconocimiento de validez oficial a los estudios hechos en planteles particulares.

El Congreso de la Unión, con el fin de unificar y coordinar la educación en toda la república, expedirá las leyes necesarias, destinadas a distribuir la función social educativa entre la federación, los estados y los

municipios, o fijará las aportaciones económicas correspondientes a ese servicio público y señalará las san-
ciones aplicables a los funcionarios que no cumplan o
no hagan cumplir las disposiciones relativas, lo mismo
que a todos aquellos que las infrinjan.

V. El problema de las masas aborígenes

"EL RECORRIDO por las entidades ocupadas por considerables núcleos de indígenas deja la penosa impresión de que la raza de nuestros mayores continúa aún subyugada por la miseria, el fanatismo y el vicio, y que a pesar del grado de retraso de los aborígenes, conservan éstos la estoica voluntad de sus antepasados y tienen latentes sus ansias de liberación, las que reclaman imperiosamente el esfuerzo nacional para su inaplazable mejoramiento económico y cultural, pues no dejaremos de ser una patria en formación mientras existan en México, con divorcio de siglos y en un estado de desamparo y estancamiento, corrientes étnicas que imposibiliten nuestra cohesión nacional." [1] En los términos anteriores se expresó en memorable ocasión el general Lázaro Cárdenas, comprendiendo con tan breves palabras todos los términos en que se encontraba planteado un problema básico de la nacionalidad: el de la incorporación de la enorme masa evaluada entonces en 14 millones de indígenas, a la civilización y a la cultura que definen la vida del país, aun cuando no penetren todavía a todos los confines de su territorio.

El conflicto entre la cultura occidental y la autóctona se encuentra aún en pie en casi todas las zonas pobladas de la república; no es un conflicto activo; se ha significado sólo por la resistencia pasiva, pero eficaz, que opusieron los indígenas a la penetración de la primera, conservando intacto su espíritu primitivo y aislándose tercamente en muda protesta contra las expoliaciones constantes de los blancos y criollos dominadores. La Revolución, que en su sentido étnico es el arribo de las grandes masas mestizas al poder, condujo primero a los indígenas al campo de la lucha armada, y luego, habiendo roto su encastillamiento, al de la lucha económica en la cual se están iniciando y para la que, como lo expresó el general Lázaro Cárdenas, se encuentran dotados de una magnífica voluntad, de sed de conocimientos, de indomitez y tenacidad naturales.

[1] Manifiesto de 30 de junio de 1934, en Durango, Dgo.

Fue Lázaro Cárdenas un creyente absoluto, firme, de las posibilidades de los indígenas para lograr un alto grado de progreso. Como militar, como gobernante, como político, lo ha caracterizado la opinión general al referirse a él llamándole "el amigo del indio". Y en su gira política, el deseo de estrechar sus vínculos espirituales y de acrecentar el conocimiento de los problemas de las razas autóctonas, le hizo emprender largas marchas, cruzando zonas poco frecuentadas aun por los originarios de la región, a fin de conversar personalmente con los viejos jefes de tribu, de examinar las condiciones de vida de los indígenas, de aquilatar su capacidad de adaptación al medio y su deseo de lograrla. Así visita el general Cárdenas el corazón de las selvas chiapanecas, un pequeño poblado —Bachajón—, después de una cabalgata de varias horas iniciada al amanecer. Sentado llanamente, casi a la altura del suelo, se rodea de los jefes de los indígenas caribes, con quienes conversa en confianza, a solas, para que ellos se expresen con toda libertad, sin premuras, sin timidez. Y son datos preciosos los que recoge de esos labios: quejas urgidas de siglos, aspiraciones confusas, pero llenas de angustia, denuncias concretas contra actos en que se hace presente todavía la tradicional actitud de los encomenderos.

Igual que con los caribes, el general Cárdenas reiteró su amistad con los chamulas, lacandones, sanmigueles, mayas y chontales, en el Sur; con los otomíes, en el centro; con los tarahumaras, yaquis y mayos, en el Norte. En rigor, puede decirse que ninguna raza autóctona fue desconocida en sus costumbres y sus necesidades por el general Cárdenas, cuyo apego y patrocinio hacia los tarascos es proverbial en su estado, Michoacán. El interés específico, intenso, demostrado en el curso de la campaña cívica sobre el problema indígena, queda meridianamente expuesto en las siguientes expresiones formales:

Situación presente del indígena

Describiendo el estado actual del indígena en México, se dijo: "Aún van nuestros indios por los campos polvorientos, semidesnudos, con la mente cubierta de sombras; aún son carne de explotación y de dolor." [2] "Durante muchos años, nuestras clases dirigentes contemplaron a los indios como

[2] Declaraciones de 26 de febrero de 1934, en Comitán, Chis.

cosas, desprovistos de todo atributo humano. Es una deuda sagrada para la Revolución recordar el contingente de sangre que los indígenas, como los criollos y los mestizos, han aportado para el triunfo de la causa social. Ya un orador decía en el bravío Juchitán, con frases exactas, conmovedoras, que no hay comentario en la república que no contenga los huesos de algún soldado juchiteco muerto en defensa de la Revolución. Allí tenemos también a los yaquis, que en los campos gloriosos de Celaya y Trinidad derramaron su sangre para consolidar los derechos del pueblo. Y el indio, después de haber regado su sacrificio en todo el país, ha tenido que regresar a su pobre cabaña, ha tenido que volver a los brazos de la morena esposa para mitigar su decepción inmensa, para calmar su pena al advertir vanos la sangre derramada y el dolor vertido a raudales." [3]

El propio general Cárdenas expresaba en Oaxaca, refiriéndose a los poblados de la Sierra Mixe, recorridos por él a caballo: "En los pueblos alejados de las comunicaciones es en donde existen mayores necesidades de orden educativo y económico, y es en los que debemos poner más atención. Hay allí grandes núcleos de población indígena que no hablan nuestro idioma y que por su escaso conocimiento de los sistemas de cultivo ocasionan la destrucción de los bosques. Hay gran número de esos mismos indígenas dominados por el vicio del alcohol, adormecidos por el fanatismo. La falta de aumento en el salario, según lo fija la ley, y los impuestos que en algunos pueblos se exigen, como el de carretas y el individual para educación y el que se cobra por cada cría que nace de ganado vacuno aun a los indígenas que poseen una sola vaca, hacen que hasta hoy esos habitantes de nuestro país no hayan sentido los beneficios de la Revolución." [4]

Más tarde, el presidente electo manifestó: "Con particular atención hemos venido observando la situación de dolor que en esta entidad, como en otras de la república, Chiapas y Oaxaca entre ellas, sufren las masas indígenas. Hemos visto que aquí como allá todo el esfuerzo de los aborígenes no les rinde el provecho necesario no ya para cubrir sus carnes desnudas, pero ni siquiera para alimentarse regularmente. Seguiremos empeñados en que los pueblos indígenas alcancen un mejoramiento efectivo en el orden económico y en el

---

[3] Declaraciones de 26 de febrero de 1934, en Comitán, Chis.
[4] Discurso de 15 de abril de 1934, en Oaxaca, Oax.

educacional, a fin de que disfruten de las riquezas naturales que en tan grande escala existen en este país, que es suyo".[5]

Oficinas especiales de asuntos indígenas

Los párrafos anteriores dan una idea clara de la forma en que se manifestaba el problema. Sólo falta referirnos a las medidas con las cuales el general Lázaro Cárdenas atendió la resolución integral de dicho complejo. No escapó al balance hecho por el general Cárdenas en su recorrido el esfuerzo generoso que la Revolución hizo en otra época en favor de la incorporación del indio a la vida económica y social de la nación. Con frase clara, el presidente electo anunció oportunamente, en el estado de Chiapas, su reconocimiento hacia la obra que en este sentido realizó el régimen presidencial del general Plutarco Elías Calles. Y, acto seguido, declaró:

Al conocer en toda su amplitud las necesidades de las poblaciones indígenas que habitan en el estado, las cuales vienen a confirmar el concepto que tengo de las razas aborígenes del país, estimo que el gobierno de la Revolución debe seguir prestándoles su apoyo moral ilimitado y poniéndoles a su servicio la ayuda material que se haga indispensable, para incorporarlas definitivamente a nuestra civilización, borrando las características de parias que por desgracia todavía conservan y que se manifiestan, como en los chamulas, en sus costumbres rudimentarias, en sus espíritus adormecidos y en sus cuerpos semidesnudos, para darles los atributos que, conforme a nuestra época, les corresponden a todos los seres humanos y que las capaciten realmente para considerarlas factores de interés en la economía mexicana.

Con el propósito de convertirlos en hombres aptos para el cultivo intelectual y en fuerza económica activa para provecho de su raza, considero de vital importancia el funcionamiento dentro del poder público de un organismo de gestión de asuntos sociales y de economía indígena, que controle técnicamente las actividades de los aborígenes, encauzándolas por los rumbos ideológicos que señala la Revolución. Sólo así podrá

[5] Discurso de 3 de junio de 1934, en Pachuca, Hgo.

acelerarse el movimiento evolutivo de los indígenas de
la república, hasta colocarlos en ritmo con el progreso
que han alcanzado los criollos y mestizos de la nación.
Al llevar a la práctica estos postulados, sentiré la satisfacción de haber cumplido estrictamente con mi deber, no defraudando la confianza que el pueblo viene
depositándome.

Las Casas, Chis., 25 de febrero de 1934. *Lázaro
Cárdenas.*

Acción social, economía y política

Es igualmente demostrativo de la actitud concreta que en
adelante observaría el poder público respecto de los indígenas, el siguiente boletín informativo expedido al terminar
el recorrido del general Cárdenas por la Sierra Mixe:

> Como resultado de las observaciones y experiencias
> recogidas en su fructuosa gira por la tierra oaxaqueña,
> el señor general Cárdenas anunció su firme propósito
> de dedicar muy particular empeño a la obra de exten-
> sión educativa entre los aborígenes del país, proyectan-
> do al efecto la constitución de estaciones culturales en
> los centros aborígenes, las cuales contarán con un per-
> sonal de maestros, de médicos y de expertos en agri-
> cultura, y desarrollarán permanentemente una labor de
> orientación, parecida a la que hacen en la actualidad
> las brigadas volantes que se conocen con el nombre de
> "Misiones culturales" de la Secretaría de Educación
> Pública.
>
> Se advierte la necesidad de que el problema indíge-
> na, básico para la nacionalidad, se resuelva integral-
> mente, atacándolo en sus fases social, económica y polí-
> tica. Para el primero de estos aspectos, el señor general
> Cárdenas propuso el desarrollo de intensas campañas
> de desfanatización, antialcoholismo y alfabetismo, com-
> batiendo así los tres enemigos fundamentales del pro-
> greso del indio.
>
> Observa, por otra parte, el general Cárdenas, una muy
> particular disposición de las razas indígenas, y sobre
> todo de la mixe, que estudió con minucia, para la ad-
> quisición de conocimientos y la elevación de su nivel
> intelectual. Al efecto, cita con encomio el hecho de
> que en algunos puntos de la sierra de Ayutla, entre

otros, hay niños indígenas que tienen que emprender largas caminatas el domingo por la mañana, provistos de una escasa dotación alimenticia, con el fin de concurrir a la escuela rural, regresando a sus distantes hogares el sábado, para volver el lunes siguiente.

Otra materia de excepcional importancia fue tocada: la necesidad de desarrollar una labor de higiene, prevención y tratamiento médico en los pueblos, que hasta ahora carecen de todo servicio de esta naturaleza. En la sierra se observa que individuos enfermos de dolencias leves se agravan por falta de atención y llevan el contagio a sus semejantes, pereciendo sin remedio. Los casos de epidemia son particularmente angustiosos, porque pueblos enteros son diezmados sin lenitivo ni auxilio de la ciencia. De aquí el propósito de que existan en los centros rurales, a la par que maestros, médicos en el ejercicio de su apostolado social.

En materia económica, el señor general Cárdenas ha desarrollado una tarea efectiva en favor del salario mínimo, recomendando a todas las autoridades el cumplimiento de las disposiciones vigentes y señalando a los trabajadores el camino para obtener esa justa reivindicación revolucionaria. Como tesis para el futuro, ha señalado con precisión la conveniencia de que se abandone en nuestros campos el raquítico sistema del monocultivo, llevando nuevas semillas de productos variados y compatibles con la naturaleza del suelo y capaces de elevar la composición de los elementos nutritivos del individuo; así como, en general, su potencialidad económica. Para el efecto, proyecta el abanderado del PNR la adscripción de expertos agrícolas a los maestros y médicos de que antes se ha hablado. Naturalmente, esa atención, encaminada a la policultura, no excluye la propagación de nuevos sistemas para la explotación de los cultivos que ya se hacen en el país, como maíz, frijol; más escasamente, trigo, etcétera.[6]

Aprovechamiento directo de los dones naturales

En un discurso pronunciado al finalizar la campaña, en el centro de la república, el general Cárdenas dijo: "Hay tribus o conglomerados aborígenes que habitan en zonas incle-

6 Diario *El Nacional*, 16 de abril de 1934.

mentes, áridas, a donde las ha confinado el trato inhumano que recibieron de los conquistadores o de los latifundistas. En otras regiones, Michoacán, por ejemplo, o Chiapas, donde habitan las razas chamulas, los indígenas disponen de zonas más ricas, generalmente boscosas y susceptibles de industrialización. Es el caso que hay en Durango. No obstante, los aborígenes se encuentran para la venta de maderas en manos de compañías extranjeras o de contratistas nacionales, que pagan por sus adquisiciones precios viles, obteniendo en cambio muy grandes ganancias.

"Yo confío mucho en que los hombres del poder, compenetrados de su deber histórico y de las obligaciones que tienen con el pueblo, procuren con honradez y con lealtad que los indígenas se organicen convenientemente a fin de que contraten sin intermediarios, de manera directa, con los Ferrocarriles o con las empresas compradoras de otra índole, la venta de durmientes, tablones, postes y todos los productos de los bosques, a fin de que estos indígenas disfruten de las ganancias y riquezas que legítimamente les corresponden y de que éstas no vayan a manos que no tienen derecho para percibirlas."[7]

Las visitas, posteriormente realizadas a los indígenas coras, y a los yaquis y mayos en Sonora, confirmaron los puntos de vista del general Cárdenas acerca de la regeneración de las razas autóctonas. De esta manera, la historia rectifica en nuestro país los yerros de injusticias ancestrales.

[7] Discurso de 27 de junio de 1934, en Durango, Dgo.

VI. El Ejército Nacional

Como soldado del pueblo, el general Lázaro Cárdenas tuvo siempre fija la vista en las necesidades de los miembros del instituto armado nacional, surgidos a la vida militar del seno de las masas, defensores de sus ideales y brazo fuerte en el que se apoyan la Revolución y la patria.

Al presentar su protesta solemne como candidato presidencial del PNR, en la ciudad de Querétaro, el general Cárdenas dijo "...que el ejército de mi país siga siendo el baluarte de las tendencias proletarias y la fuente de donde tomarán su fuerza evolutiva las instituciones sociales, supuesto que hoy, más que nunca, el ejército emana del pueblo y pretende, al amparo de una tendencia orgánica, reconstruir sus filas con elementos de todo el país, a fin de compartir con ellos la responsabilidad que tiene una institución que es la vanguardia del régimen revolucionario." [1]

Más tarde, en la península yucateca, dijo el general Cárdenas: "Está también señalado en el 'Plan Sexenal' atender al Ejército Nacional, que merece toda nuestra consideración por ser el sostén de nuestras instituciones; y para conseguir el mejoramiento anunciado por ese plan, seguiremos procurando su preparación científica y se estudiará la legislación militar que está en consonancia con la Constitución General de la República, y se empeñará mi administración en dotar a sus miembros del alojamiento y hospitales adecuados, creando también el seguro de vida para jefes, oficiales y muy especialmente para la tropa." [2]

"Me dirijo en especial —afirmó en otro discurso— a mis compañeros de armas, a los elementos del glorioso ejército de la patria, solicitando que mantengan la cooperación que estoy seguro que darán al próximo gobierno, porque los soldados del pueblo honrarán a la Revolución y serán los más

[1] Discurso de protesta como candidato presidencial ante la Convención de Querétaro, 6 de diciembre de 1933.
[2] Discurso de 10 de marzo de 1934, en Mérida, Yuc.

interesados en que se cumpla y se justifique." [3] El general Cárdenas ligó el destino del ejército al destino mismo de la nación y en particular al de las clases proletarias. Así es como expresó lo que sigue: "Con la cooperación del ejército a la par que con la de los demás sectores del país, se realizará el 'Plan Sexenal', del que depende la elevación de las condiciones económicas del país. Una vez que esta elevación se haya conseguido, será posible atender con mayor eficacia al mejoramiento de las condiciones económicas y sociales de los militares, tanto en alojamientos y equipo, como en instrucción y salubridad e higiene." [4]

Insistentes fueron las frases en que el general Lázaro Cárdenas dio forma a su pensamiento respecto del ejército. Todavía al finalizar su campaña política, en la ciudad de Durango, dijo una vez más en tono particularmente categórico: "El Ejército Nacional, que ha puesto su esfuerzo y su vida al servicio de la Revolución, y que ha logrado distinguirse en la preparación y selección de sus jefes, oficiales y personal de tropa, merecerá de parte de la administración pública toda la atención necesaria para que se siga mejorando su organización técnica y social, sus alojamientos, hospitales y escuelas." [5] Los conceptos antes citados constituyen, en suma, la más plena expresión de los sentimientos de solidaridad que unen al general Cárdenas con sus antiguos compañeros de lucha, con el grupo esforzado y valeroso con el que compartió las eventualidades, las fatigas y los peligros de la larga batalla que el pueblo encendió en toda la República para la conquista de sus ideales.

---

[3] Discurso de 27 de junio de 1934, en Durango, Dgo.
[4] Discurso de 27 de junio de 1934, en Durango, Dgo.
[5] Manifiesto de 30 de junio de 1934, en Durango, Dgo.

VII. Cuestiones diversas

UN ESTADISTA, un hombre de responsabilidades públicas, adopta forzosamente actitudes frente a la vida misma en lo que tiene de más general, en lo que escapa al marco de las clasificaciones excluyentes, en lo que, por fin, significa una "manera de coexistir" con los miembros del mismo grupo social.

En las intensas horas que el general Lázaro Cárdenas vivió entre el pueblo de Tabasco, transportado de uno a otro sitio de la entidad por veloces aviones y siempre a la vista de colectividades afanosas y fecundamente empeñadas en la creación de un destino más alto, varios conceptos importantes cuajaron en su mente. En crónica de 24 de marzo de 1934, el diario *El Nacional* publicó el fragmento que sigue:

Dos etapas primarias

1º Con el mayor placer, el divisionario michoacano ha contemplado la efectividad de la campaña tabasqueña en contra del alcoholismo, consuetudinario en nuestro pueblo. El vicio ancestral, inoculado por la Conquista y tenazmente conservado por todas las clases explotadoras, se ha desterrado de esta entidad. Y el esfuerzo que cada hogar, que cada escuela, que cada individuo sin exclusión de niños, mujeres, ancianos y adultos, realiza para consolidar en la conciencia pública un odio definitivo para las bebidas embriagantes, ha merecido el más rendido elogio del general Cárdenas, quien de muy antiguo es irreductible perseguidor del alcoholismo, y ha utilizado con éxito las armas de la educación y del deporte. (Junto a esta opinión del divisionario michoacano, citaremos un hecho real: un delito severamente castigado en Tabasco es el del alcoholismo; multas fortísimas y trabajos de utilidad pública por no menor tiempo de treinta días, esperan al hombre que se ambriague; pero las cárceles en casi todas las poblaciones del estado se encuentran vacías y en algunas partes se han convertido ya, en vista de la inutilidad de su antiguo oficio, en casas para habitación.)

2º *Anti-fanatismo.* El señor general Cárdenas conceptúa que es un auténtico logro de la Revolución y un timbre de gloria para Tabasco y para la república, el grado de emancipación espiritual a que se ha llegado en estas latitudes. El niño, el ciudadano, la mujer: todos odian el clericalismo y todos viven a pleno gusto en orden y libertad naturales, sin dogmas ni religión. "El hombre —dijo el general Cárdenas— nada debe esperar de lo sobrenatural. Cada instante que permanece arrodillado, es un instante que roba a la humanidad. La lógica del pensamiento, el trabajo constante y la lucha deben sustituir en nuestro país a los anacrónicos oscurantismos, a la inacción religiosa y al credo de la resignación." (Un hecho práctico: en Tabasco la vida es, como la pide el general Cárdenas, lógica y absolutamente real. No existe oscurantismo. Ahora precisamente, mientras corre el tecleo de nuestra máquina, suenan en la antigua iglesia del pueblo, hoy escuela racionalista, las notas enérgicas del zapateado. Están allí, bailando, todas las muchachas del pueblo, y las señoras de edad tampoco se quedaron en casa. ¡Y ha sido viernes de cuaresma en el resto de la república! La madrugada de este sábado, en la cual escribimos, es ya un alba de gloria.)

Actuación de la mujer y de la juventud

3º Con insistencia que jamás se fatiga, de pueblo en pueblo, de discurso en discurso, el señor general Cárdenas ha dicho: "Es preciso que la mujer se organice, que para ella deje de ser el hogar una cárcel, que sea un factor de producción y de riqueza, que mejore los sistemas de la economía doméstica, que sea, en fin, la compañera del hombre en todos los aspectos de la existencia." El pensamiento del candidato presidencial es tan profundamente revolucionario, que no lesiona la tradición mexicana en lo que tiene de valioso y perdurable; es decir, no quiere el general Cárdenas la desaparición del hogar ni de la familia, sino su recimentación, su afirmamiento. Es un hecho social perfectamente observado que el hogar fundado a la manera cristiana se desmorona irremisiblemente y está a punto de hacer que naufrague la institución de la familia. "No destruyamos el hogar —dice el general Cárdenas—: reedifiquémoslo. Que la madre sea capaz de aportar un esfuerzo productivo, pero que no desatienda la educación de sus hijos; que vaya al taller y al surco, pero que, mediante la modernización de los sistemas de trabajo doméstico, nada pierda el hogar de su limpieza, de su calor ni de su atractivo." (Hechos: en todo el pueblo de Tabasco, una, dos, diez mujeres toman la palabra en público y disertan sobre los temas de la vida social. El hogar tabasqueño es ahora más puro, más respetable, sin duda alguna, que antes. En las muchachas existen, vívidos, el pudor y la honestidad y sólo la pacatería de antaño se ha modificado para dar sitio a un trato franco, abierto, noble. Hablan las estadísticas: en largo tiempo —meses— no se ha cometido un solo acto de los que nuestros códigos señalan como delitos del orden sexual.)

La juventud roja

4º "Cuando el general Plutarco Elías Calles —declaró Cárdenas— hizo su llamamiento a la juventud para que, debidamente preparada, asumiera las responsabilidades de la vida pública, seguramente pensó, como pienso yo, en una juventud vigorosa, disciplinada, entusiasta como la que existe en Tabasco. Una juventud consciente de sus deberes y más pronta para cumplir éstos que para exigir sus derechos. Una juventud sana, trabajadora, forjada en el taller y en el campo, es la que debe sustituirnos a nosotros, los hombres de la anterior generación revolucionaria, en la vida pública del país." Y el candidato nacional completó su pensamiento cuando manifestó: "La juventud tabasqueña es verdaderamente idealista porque posee pensamientos colectivos y porque procura el bienestar y la felicidad de todos. Para expresar de mejor manera sus tendencias, se ha uniformado hasta en su aspecto externo y presenta estos hermosos conjuntos que exaltan el color rojinegro de la bandera proletaria." (La juventud tabasqueña, en los dos sexos, se encuentra, en efecto, organizada al amparo de los ideales y postulados socialistas en el

Bloque de Jóvenes Revolucionarios (BJR), con matriz en Villahermosa, en cuyas secciones municipales forman muchachos y muchachas entre los 16 y los 25 años de edad. El BJR tiene disciplina militar; sus miembros portan un traje compuesto de pantalón negro y camisa y boina rojas, cantan himnos y corridos en grandes conjuntos corales; no tienen, en cambio, organización burocrática y funcionan con toda sencillez, depositando la autoridad directiva en un solo presidente electo para un año de ejercicio en cada sección local.)... Jamás ha gustado el general Cárdenas del elogio fácil y su frecuente palabra de aliento se dirige a los pueblos, a las colectividades, a las organizaciones, y muy raras veces, ¡tan raras!, a los individuos. Sobre sus juicios encomiásticos de Tabasco, sin embargo, se proyecta la sombra de un hombre fuerte, de un líder y de un transformador: Tomás Garrido Canabal. Sombra que crece de año en año y que cubre ya el Sureste; nombre que, en alas de la fama —como decían los antiguos— traspasará otros muchos límites de la República. En Tabasco, como en todo México, como en América entera, el indio bebía alcohol porque era esclavo; y el criollo se embriagaba para mejor brutalizarse en la encomienda. En América, las catedrales se edificaron sobre las ruinas de los *teocallis*; cada pueblo erigía una cruz en la más alta torre y luego se abrazaba a ella para ser flagelado. Hoy, Tabasco desfonda el tonel de vino y hace que sus muchachas bailen y sus niños reciten el *a-b-c* en recintos en que antaño chorreaba el denso humor de la inútil plegaria. Tomás Garrido bien merece la frase del corrido: "hombre decidido y valiente..."

Un suceso relevante

En el curso de la campaña política ocurrió el señalado suceso que refiere y glosa la siguiente crónica publicada por *El Nacional* en su edición de 24 de abril de 1934:

Durante el próximo período constitucional, si el señor general Lázaro Cárdenas es llevado a la primera magistratura de la República, se establecerá la prohibición para la venta y fabricación de alcohol, a fin de liberar al pueblo mexicano de una de las taras que ancestralmente lo degeneran. La declaratoria formal de este propósito fue hecha por el líder del PNR, en uno de los momentos más impresionantes de su gira por la región mixteca del estado de Oaxaca; gira de la que hemos dado hasta la fecha sólo datos sucintos y que aún mantiene vivo en las anotaciones de nuestro enviado especial un rico material informativo que iremos aprovechando en nuestras ediciones en tanto que se encuentre en esta capital, ocupado con el despacho de importantes asuntos políticos, el candidato nacional.

Una página de nuestra historia

Destacamos por hoy, de ese gran acervo, el relato de lo ocurrido en la población de Yanhuitlán, en el corazón de la Mixteca, a la cual arribó el general Cárdenas acompañado de sus amigos y partidarios en automóvil, después de atravesar una interesante región del país.

Después de unos breves calveríos, a la salida de la ciudad de Oaxaca, los automóviles ingresaron en una zona boscosa dotada de abetos, encinos y pinares, delatores de una antigua y grande riqueza, pero ahora empobrecidos por el remedio de las necesidades de varias generaciones. A partir de Nochistlán, el paisaje fue cambiando poco a poco. A la montaña, apretada por la selva, sucedieron los terrenos pardos, ralos, dispuestos siempre al beneficio del hombre, pero impotentes para proporcionarle la cosecha generosa.

Muchos arroyuelos secos, un cielo abierto y caliente, un horizonte sepia. Así es esa parte de la Mixteca en que el indígena se advierte agobiado por un esfuerzo pertinaz que rinde poco, pero que le deja en la mirada no se sabe qué brillantez indómita, no se sabe qué violento rasgo de dignidad. Yanhuitlán se asienta en medio de la estepa. Ahora es un pequeño poblacho dormido. Antes fue un centro económico de importancia y el escenario de algunos actos heroicos, que lo hacen ser (como diría un historiador) página de nuestra historia escrita en piedra.

Se nos impone de algunos actos heroicos en la vida de Yanhuitlán. Fue en ese poblado donde floreció la valentía de Justo Rodríguez, el incorruptible chinaco cuyo retrato se encuentra colgado con veneración en los largos muros del peculiar Salón de Cabildos, tan desnudo y tan sólido.

La anécdota heroica

Cuenta la tradición que se encontraban en Yanhuitlán, en la época de la Intervención francesa, dos hermanos Rodríguez, el peleador Justo y otro de nombre que no recoge la crónica, cuando tomaron posesión del pueblo las fuerzas imperiales cuya primera providencia fue apresarlos y condenarlos a muerte. En pacífica gestión se congregó el pueblo entero para solicitar el indulto de sus valientes campeones. El comandante de la plaza sólo accedió a perdonar a uno de los dos hermanos a condición de que ellos, libre y espontáneamente, determinaran cuál había de ser la víctima. Justo Rodríguez dijo a su hermano: "Tú eres pintor. Con gusto acepto ir al paredón si tomas un retrato mío en mi lecho de muerte y lo llevas a nuestros capitanes, diciéndoles: lo mismo que hicieron con este chinaco, deben ustedes hacer con los traidores que caigan en sus manos." La sentencia del comandante francés y el deseo de la víctima se cumplieron con exactitud, y es así como ahora consta en el muro pueblerino el retrato de un hombre yacente, con el rostro, las manos, el pecho, perforados por las balas enemigas, con una expresión tan plácida que casi llega a la sonrisa en la cara, y con un vigor rebelde todavía enredado en la barba cuidadosamente recortada.

Justo Rodríguez es el prototipo de la raza mixteca, que a ella pertenece en espíritu, aunque su fisonomía parezca acusar al mestizo y hasta el criollo. Todavía se nos refiere algo más: es tanto el cuidado que los caudillos de la Mixteca ponen en conservar el ánimo bélico de sus soldados, que, en otro tiempo, cuando se encendió la guerra entre mixtecos y zapotecos, hubo una granada que en el curso de la batalla rajó la campana del templo de Yanhuitlán, dejándola sordomuda. Entonces los patriarcas mixtecos congregaron a su pueblo, le hicieron saber que los atacantes se habían robado la voz de la campana; y durante muchos años las peleas se hicieron por recuperar esa voz, realizando así el poético mito.

Al escuchar la anterior anécdota, surge ante nosotros,

con un dramático corpachón de piedra, la imagen del
templo de Yanhuitlán.

La garra de la Conquista

Se erige en el centro de una explanada la arquitectu-
ra formidable. La construyeron los dominicos en el siglo XVII. Diremos mejor: la construyeron los indios
para los frailes dominicos. Es una verdadera catedral,
alta de cincuenta metros, en cantera café, con enormes
contrafuertes que al mismo tiempo que de las iras de la
Tierra, pueden defenderla de los ataques de hombres
de armas.

Desde su llegada, mientras en el pórtico de la casa
municipal se aglomeraban los ingenuos labriegos, unos
a pie y descalzos, otros montados en jamelgos escasamente nutridos y nerviosos, el general Cárdenas dirigió
una mirada larga, profunda, al pesado aparato del templo y convento dominico. Mirada que nos pareció se
encaminaba a reconstruir mentalmente el largo proceso
de sacrificio inscrito en aquellas piedras: los indios su-
dorosos, desnudos, hambrientos, transportando la cantera, gastando sus ojos en pulirla, poniendo todo su
amor en la redondez de las cúpulas y en la filigrana
de los artesonados. Templo que grita en mitad de la
llanura la tragedia de la Conquista, que hace sentir de
nuevo el férreo paso de los rudos soldados castellanos,
que recuerda el verdugón del látigo sobre las espaldas
prietas, que tiñe de sangre la fe tozuda de los encomenderos. Y el general Cárdenas seguramente piensa
en eso cuando compara la suntuosidad del alto castillo
de piedra con la pobreza de los jacales que lo rodean.
Éstos apenas si necesitan un poco de tierra cocida al
sol en adobes, alguna paja que por allí llaman huno;
quizás ahora el regalo de algunas hojalatas, para alber-
gar la triste existencia de los campesinos. Al templo, en
cambio, no le bastan los anchos muros, pide contrafuertes; no le basta su descomunal estatura, pide oro
para revestirla interiormente; no tiene con los altares
platerescos, reclama la escultura en que también se des-
trozan las manos explotadas.

Nada de esto ven, sin embargo, los indios. Apenas,
es verdad, algunos de ellos que echan ojos rencorosos
al templo. Los más lo ven con afecto, como obra que

fue de sus antepasados. Será que al entrar a él sienten el fruto de su sacrificio y que son bastante generosos y bastante ignorantes para no pensar en lo que a cambio de éste se les ha dado. Hizo bien la campana —creemos nosotros— en volverse muda. De otro modo, hoy tendría que traicionarse; está tan alta que seguramente vio los combates de la Revolución en la áspera llanada, y hoy tendría que hablar a los indios el lenguaje de la verdad; decirle que no deben ser ya torpes, que no deben vivir en la miseria ni en la oscuridad; que los oros del templo insultan la pobre vestimenta de sus cabañas de paja.

La visita al monumento

El general Cárdenas convive con los indígenas. Los escucha. Comparte con ellos el delicado sentimiento de amor a la tierra que profesa la *Canción mixteca*. "Oh, tierra del sol, suspiro por verte..." Se alegra, él que es el amigo del indio, cuando alguno le habla palabras de rebeldía.

Después, el candidato del pueblo se encamina hacia la explanada que sostiene el templo. Llega hasta sus afueras, ascendiendo por una bella escalinata; se detiene ante los contrafuertes, los examina con ojo experto de militar. Luego alguien le habla de que el interior de la iglesia es notable. Él accede a verlo. Penetra con la cabeza descubierta, en acto de exquisita cortesía. De un solo parpadeo capta el reptar de los altares dorados sobre las verticales hiladas de cantera. Hay un momento en que vuelve la cabeza, como si al venir del aire puro le hiciera un daño moral el ambiente pesado de incienso. Un improvisado cicerone vuelve a decir al general Cárdenas: "Hay en una capilla lateral una escultura notable."

Y el general, siempre seguido por campesinos, se encamina a ver aquella obra. Pero no son sólo indígenas, hombres y mujeres, no son sólo sus amigos quienes le siguen; se le pega por la espalda una sombra negra; es el cura de la parroquia, un poco ridículo, porque bajo la sotana le asoman unos pantaloncillos de dril claro ajenos por completo a la armonía pictórica; pero inquieto, movedizo, con una mandíbula que pugna a escaparse de los límites del rostro, en marcado prognatismo.

Cuando todos llegamos a la capilla lateral, la escena adquiere toda su plástica. Cada quien se encuentra en su puesto. El sacerdote va a colocarse frente al altar, escondiendo sus manos, hurtando la vista. El general se planta en firme, a mitad de la nave. Los campesinos lo rodean con una curiosidad cuyo signo visible se fija en la frente: parece, en efecto, que los campesinos siguen los actos del abanderado de la Revolución no con los ojos, sino con el cráneo entero, como si lo prepararan en surco para la siembra de una semilla nueva.

Trabaja el sembrador

Con atención miramos la escultura que se nos ha prometido. Es una obra estupenda. Se trata de un bajorrelieve ejecutado en un bloque monolítico de no menos de tres metros de altura. Es fama que los intervencionistas quisieron llevarlo a Europa, no pudiendo lograrlo a causa de su enorme peso. Su tema es el *Descendimiento* y aparecen como ocho figuras escultóricas: Cristo, al ser desclavado de la cruz; José de Arimatea, las mujeres que acompañan a la Madre Dolorosa. En el rostro de ésta, como en el de Jesús, se advierte una curiosa circunstancia: tiene algunos rasgos que tienden a lo indígena, como si los artistas hubieran vertido algo de su propia pena en el rictus de los personajes evangélicos. Y no es esto todo: el bajorrelieve se encuentra pintado en colores, con una técnica admirable que permite a la piedra conservar íntegramente su revestimiento sin que se empate ni desportille. Uno de los presentes interroga al general Cárdenas: "¿Qué le parece a usted?"

El candidato no responde de manera directa. Contempla al pueblo congregado a su alrededor y se dirige con sencillez, su manera natural, hacia un ángulo de la capilla, irguiéndose sobre una cornisa de piedra que corre a todo lo largo del muro. No es entonces el general Cárdenas, propiamente, un agitador; no es el líder de una campaña política, sino, más noblemente, un maestro. La capilla transforma su estéril misticismo y se convierte en aula. Todos sentimos que la presencia del cura resulta ya anacrónica en ese lugar, todos sentimos que sale sobrando allí y que haría bien en marcharse, porque el recinto de los rezos umbrosos se ha convertido en un claro salón de escuela. Y el general Cárdenas, persuasivamente: "La campaña que venimos realizando por todo el país —dice más o menos— no es propiamente una campaña electoral, sino una gira de acercamiento a las necesidades del pueblo, un recorrido educativo en el que decimos, en nombre de la Revolución, la verdad de este momento de justicia social. Tengo que agradecer a los obreros y a los campesinos de mi país su presencia cerca de mí en todos los lugares que he visitado, y en correspondencia al respaldo que me otorgan en mi calidad de candidato presidencial del Partido Nacional Revolucionario, debo ahora manifestarles cuál es el pensamiento de los hombres de la Revolución, de los hombres de nuestro partido, respecto de algunos problemas de las clases trabajadoras."

Que no haya más engaños

"Con particular empeño —agregó el general Cárdenas— hemos visitado los pueblos indígenas y sabemos con exactitud las necesidades que tienen. Nuestros indígenas necesitan tierras, educación y mejores salarios; pero necesitan, sobre todo, que se les hable con entera sinceridad, que se les diga la verdad y que no se les engañe más ni se trate de mantenerlos en la ignorancia a fin de explotarlos mejor."

Enorme atención la de los campesinos para la voz del general. En el abigarrado grupo podíamos nosotros sorprender varios *close-ups* dignos de una película de Eisenstein; no olvidamos aún el rostro pensativo de los campesinos que ya habían ido a la ciudad y que encontraron en ella nuevas orientaciones; ni la cara rugosa de varias ancianas que trataban de entender un lenguaje para ellas incomprensible; ni la avidez de algunos mocetones que entrevén para su espíritu horizontes más anchos que los que a diario les presenta la estepa mixteca. Las palabras del líder revolucionario siguieron goteando sobre la multitud:

"Aprovecho —dijo— esta oportunidad, para grabar en ustedes las siguientes ideas. La Revolución, que ustedes mismos hicieron con su sangre y con su esfuerzo, busca el mejoramiento efectivo de los obreros, de los campesinos, de los indígenas, de todos los trabajadores de nuestra patria. La Revolución quiere que ustedes, como todos sus hermanos de la república, tengan mejores salarios, a fin de que habiten en casas mejores, de que vistan mejor, de que envíen a sus hijos a la escuela y de que se alimenten racionalmente. El gobierno libra penosa lucha para lograr todos estos beneficios en favor de ustedes, pero hay muchos obstáculos que se oponen a la obra de la Revolución."

El general acentúa cada vez más la sencillez de sus frases. Quiere que sean nítidas, tan claras, que no oculten ni una migaja de su sentido, que lleguen a la conciencia de sus oyentes. Y la escena se va magnificando porque en todos nosotros, en los indígenas, en los que acompañamos al candidato, surge una purísima emoción revolucionaria. Alrededor del líder Cárdenas están jóvenes y antiguos luchadores: vemos a los muchachos del pueblo, apenas ayer clientes del libro elemental, dispuestos hoy a cumplir su deber en los campos y en las filas; a las madres que enviaron hijos a la Revolución, a los campesinos que supieron del tronar de la carabina. Y todos así, reunidos, sentimos que en esa aula de Yanhuitlán va naciendo un minuto del futuro.

Los obstáculos que hay que destruir

La palabra del general Cárdenas no se detiene; apenas si deja un pequeño hueco para acomodar nuestra observación. "Uno de los obstáculos que encuentra la Revolución para realizar su obra —dice— es el fanatismo. Observamos nosotros que, por desgracia, la conciencia de las clases indígenas se encuentra adormecida y que así siguen siendo éstos presa fácil de los explotadores, y es entonces cuando sentimos deseos de acelerar la labor de progreso a fin de que se adelante todo lo que sea posible la liberación de los trabajadores. En el estado actual del país existe libertad completa para que todos los ciudadanos ajusten su conducta a la ley. No obstante, muchos sacerdotes se resisten constantemente a cumplir las disposiciones de nuestra Constitución, y con sus abusos obligan a los gobernantes a establecer actos de dictadura revolucionaria." Después, el general precisa con mayor fuerza su pensamiento:

"La Revolución quiere que los sacerdotes se ajusten completamente a la ley, y quiere, además, que por medio de la educación vaya llegando la luz a la conciencia de los campesinos. ¿Cuándo —exclama— se les ha hablado a ustedes en la iglesia de sus derechos? ¿Cuándo se les ha dicho que son ustedes dueños de la tierra y que deben disfrutarla? La Revolución arrancó la tierra de manos de los latifundistas, porque la tierra fue de ustedes y ahora la restituye a sus manos. ¿Cuándo en las iglesias se les ha hablado de que deben unirse en sindicatos, a fin de tener fuerza y defenderse? ¿Se les ha dicho alguna vez aquí, que deben ejercer acción directa contra el vicio del alcohol? Los consejos que se les dan son de que mantengan una actitud de obediencia, de sumisión; que se arrodillen y besen la mano de quien no les hace ningún beneficio, y finalmente que esperen de una voluntad que no existe, su mejoramiento. La Revolución, en cambio, dice al pueblo que espere beneficios y mejoramiento de su propio esfuerzo, que recupere la tierra que fue de sus mayores, que se eduque, que no destruya su cuerpo ni embrutezca su espíritu con el alcohol, que disfrute de buen salario para vivir mejor."

Las tareas de la mujer revolucionaria

El general enfoca luego su vista y su ademán al grupo de mujeres que lo rodea. "A ustedes me dirijo como representantes en los actuales momentos de la mujer mexicana. La Revolución les pide que se agrupen en ligas antialcohólicas para que destruyan las fábricas y los expendios de bebidas embriagantes, en favor de sus hogares. Les pide también que sean dignas compañeras del hombre, que cooperen con él en todos los aspectos de la vida, que le ayuden a la verdadera educación de la niñez."

Y es entonces cuando el general hace una declaración categórica, que es, por sí misma, un proyecto de gobierno, el cual se encuentra desde hace varios meses en estudio y maduración: "Si la Revolución —dice—, si las grandes mayorías del país me llevan a la Presidencia de la República, me empeñaré en que en toda la república se decrete la prohibición para la venta y fabricación de bebidas embriagantes."

El maestro, líder social

"Fui un obrero —dice el general Cárdenas—; soy un obrero, y por esto me dirijo a ustedes, dándoles estos consejos sanos. No sigan en la oscuridad, hagan que sus hijos vayan a la escuela y vayan ustedes también en los ratos que el trabajo les deje libres. Agrúpense alrededor del maestro, que es el nuevo apóstol. Debo declarar en estos momentos que la labor de los maestros en todas las zonas del estado que he recorrido es encomiable y patriótica, a pesar de que muchas veces no encuentran apoyo en las autoridades de los pueblos que por desgracia todavía están sumidos en el fanatismo. No obstante, los maestros trabajan con abnegación y no piden diezmos ni primicias, solicitando, si acaso, cooperación para construir escuelas."

El general concreta, por último, en síntesis vivaz, los temas de su formidable plática revolucionaria: "Únanse ustedes, hagan un solo frente con todos sus hermanos de la república, a fin de que todos logren por su esfuerzo el mejoramiento que la Revolución quiere para los trabajadores. Que cada uno de ustedes sea un propagandista de la escuela, un propagandista en contra del alcoholismo y de la fanatización. Que no se repita el caso que hemos comprobado: campesinos que por un lado asisten a las reuniones de ejidatarios y a los mítines políticos de la Revolución, y que por otro concurren a la iglesia, retardando así su propio progreso. Y tengan ustedes la seguridad de que si soy llevado por el pueblo a la Presidencia de la República, seguiré con empeño constante, sin temor a los tropiezos, la obra de la Revolución en beneficio del país."

Al terminar el discurso, los revolucionarios allí congregados prorrumpieron en vítores: "¡Viva la Revolución!" "¡Viva el Partido Nacional Revolucionario!" En potente coro, los obreros y campesinos sellaron los gritos de triunfo y pareció entonces que se rasgaba la penumbra lenta de la capilla, y que se abría, dando al cielo calcinado de las regiones surianas un ancho tragaluz.

VIII. Discurso del general Cárdenas

Iniciada el día 8 de diciembre de 1933 en la ciudad de Querétaro, la gira política del general Lázaro Cárdenas se desenvolvió durante siete intensos meses de constante trabajo, hasta culminar con los actos solemnes que tuvieron lugar la noche del 30 de junio de 1934, en la ciudad de Durango.

Las triunfales elecciones del día 1º de julio del mismo año, no interrumpieron para el general Cárdenas la ímproba tarea a que quiso sujetarse en bien de un mejor conocimiento de las necesidades de los hombres, de los grupos del país. Es así como después de haber tocado todas las entidades del Norte central, del Centro, del Noroeste, del Sur y del Sureste de la república, el general Cárdenas reemprendió su viaje en Durango, ya electo para la presidencia, recorriendo las regiones del Occidente hasta la frontera con los Estados Unidos.

La carta esquemática del recorrido total del divisionario michoacano por el país, marca las siguientes altísimas cifras, kilometraje total: 27 609. Recorrido en aeroplano, 11 825; en ferrocarril, 7 224; en automóvil, 7 280; en barco a motor, 735; a caballo, 475. La sola consideración de estas cifras da idea elocuente de lo que el viaje del presidente electo significó como minuciosidad, como trabajo, como inversión de energías y de esfuerzo.

El propósito de este libro no quedaría completo, sin embargo, si no ofreciera, aparte de la síntesis de la campaña ideológica realizada, aparte también de los datos antes expuestos, el testimonio real de la palabra del general Cárdenas, palabra sencilla, directa, fuerte.

Es por esto que se publican a continuación algunas versiones periodísticas de los más señalados discursos pronunciados por el presidente electo en el curso de su gira electoral. Los textos fueron tomados de las ediciones del diario *El Nacional,* órgano periodístico del Partido Nacional Revolucionario, y forman parte de las amplísimas crónicas que aparecieron en sus páginas. No se trata, pues, de versiones taquigráficas y, en tal concepto, son pertinentes las breves notas que explican o sitúan cada discurso.

La protesta como candidato presidencial

Ante la gran asamblea de la Segunda Convención Nacional del Partido Nacional Revolucionario, y luego de rendir la protesta como candidato presidencial del mismo instituto, el señor general Lázaro Cárdenas pronunció, en el foro del Teatro de la República en la ciudad de Querétaro, el siguiente discurso:

Al rendir la protesta formal como candidato del Partido Nacional Revolucionario a la Presidencia de los Estados Unidos Mexicanos, juzgo mi deber concretar con toda precisión, para conocimiento de mis conciudadanos, los pensamientos y propósitos que me animan en el momento mismo en que se inicia otra etapa histórica de nuestro movimiento social, político y económico, y para cuyo logro integral se han trazado nuevas bases.

La Revolución y las instituciones dimanadas de ella, son obra de las distintas generaciones que, en 1906, gestaron las grandes jornadas democráticas; en 1910, sacudieron la dictadura de treinta años; en 1913, reivindicaron la soberanía nacional e iniciaron las reformas sociales, y en 1928 instauraron el régimen institucional a cuyo influjo estamos aquí reunidos. Es por lo mismo de elemental justicia declarar categóricamente, en ocasión de esta función cívica y para el caso de merecer el sufragio popular, que me considero unido en acción y en responsabilidad a todos los viejos luchadores que con su esfuerzo contribuyeron y siguen contribuyendo a crear un estado social nuevo y un régimen de orientación salvadora.

Consecuentemente, declaro sin subterfugios que asumiré toda la responsabilidad oficial del gobierno, si llego a presidirlo, aunque para determinar esa responsabilidad tuviera que solicitar la cooperación de la experiencia de los viejos y acreditados jefes de la Revolución; pues no considero moral, ni justo, eliminar ese factor de encauzamiento de las actividades sociales tan sólo en atención a falsos pudores de independencia y a la crítica acerba que la torpeza y la necesidad invocan como argumentos incontrastables cuando censuran nuestra disciplina de partido y nuestro espíritu de cuerpo, siendo que en el fondo de esa crítica no hay más que el deseo de dividir a los hombres de la Revolución, para debilitar al gobierno proveniente de ella y especular con nuestras disensiones.

El sentido íntimo de la Revolución social nos llama a impulsar la acción revolucionaria de las masas; a aprovechar el entusiasmo y dinamismo de los ciudadanos que ayer, que hoy y que mañana signifiquen y encarnen las tendencias nuevas y señalen el rumbo a que se dirija nuestra nacionalidad en el porvenir, y a fomentar el generoso impulso de la juventud, haciendo que se prepare para sucedernos en nuestras posiciones de lucha y para regir en el futuro los destinos de la República.

Lo esencial para que puedan realizarse en su integridad los postulados sociales de la Constitución General de la República y las fórmulas de coordinación social contenidas en el "Programa de gobierno" del Partido Nacional Revolucionario, que acaba de aprobarse, consiste en que se verifique una plena interpretación revolucionaria de las leyes, por hombres que sinceramente sientan la Revolución; que sean cabalmente conscientes de su responsabilidad; que tengan verdadero cariño a las masas proletarias, y que perciban con amplitud el espíritu y las necesidades históricas que inspiraron las normas y las doctrinas que se ha dado el pueblo en sus generosas luchas, para que de esta manera las ejecuten con resolución y honradez, a fin de lograr el progreso colectivo. Porque si en el seno de una administración pública, los hombres llamados a colaborar en ella actuaran con divergencias de criterio, sin ideología común y sin disciplina, llevarían indiscutiblemente al fracaso la mejor de las ideas y el más bien meditado plan de gestión. Hay, pues, que insistir —y nunca será bastante— en que todo programa de acción social, para convertirse en realidad palpable, requiere a su servicio hombres de carácter disciplinado, de voluntad pronta y personalidad definida.

De otra parte, para que en el más breve plazo se pueda satisfacer la necesidad de tierras y aguas de todos los núcleos de población de la república, proporcionándoles los medios económicos necesarios para la explotación de sus tierras, a fin de que sea un hecho su mejoramiento; para atender a la organización agraria, cooperativa y sindical del trabajador, protegiéndolo decididamente en sus intereses y necesidades; para que el desenvolvimiento de la economía nacional se efectúe bajo la dirección del Estado y, bajo este control, se encauce el juego de todas las fuerzas económicas, para conseguir orientarlas hacia la más completa solución de las necesidades nacionales; para que los trabajos ejecutados en las obras públicas satisfagan las necesidades sociales; para que la higiene y la salubridad —principalmente en las zonas alejadas de los grandes centros de civilización— se atiendan con la amplitud que exigen el mejoramiento de la colectividad y su desarrollo; para que la educación del pueblo se oriente hacia su mayor interés por la explotación de nuevas fuentes de producción, y por la agricultura y por la industria, que son las bases principales de nuestra prosperidad y desarrollo; así como para que el Estado cuide de realizar en la escuela la unificación de nuestra nacionalidad, por tratarse de un supremo servicio social y porque al Estado mismo corresponde controlar y encauzar la educación de la colectividad mexicana; para que se introduzca en nuestra codificación escrita el movimiento de reforma integral que requiere el desarrollo de nuestra vida social, económica y política; para que se lleve a cabo en condiciones favorables y prácticas la reincorporación de nuestros emigrantes; para que la aplicación de las disposiciones constitucionales y leyes reglamentarias en materia de cultos se realice sin complacencias, pues la Revolución no debe permitir en forma alguna que se tergiversen sus conceptos, o que se vilipendien sus instituciones, ni admitir complicidad que mantenga latentes problemas que interesa a nuestra nacionalidad resolver; para que la orientación técnica y social de la hacienda pública siga dirigiéndose hacia una adecuada organización de nuestros sistemas financieros y contributivos, que permita el logro de las aspiraciones revolucionarias y la realización del "Programa de gobierno"; para que se vigorice y crezca el esfuerzo que hace la mujer mexicana por incorporarse a la vida pública de la nación, en proporción justa y con tendencia progresiva, a fin de que se aproveche como es debido el gran caudal de energías que encierran las virtudes que posee, en beneficio general, ya que se trata de un ser eminentemente comprensivo de los problemas humanos y generoso en grado bastante para acoger los intereses comunes; para que en estos momentos de crisis —en que el derecho internacional se verá obligado a tomar orientaciones más definidas, de acuerdo con la dignidad de las naciones— se cultiven nuestras relaciones internacionales sobre la base del afianzamiento de lazos estrechos y generosos; ya se trate de pueblos a los que nos ligan intereses de sangre y de raza, o de pueblos a los cuales nos unen intereses económicos y comerciales, pues bajo estos lineamientos estaremos siempre capacitados para asumir actitudes claras que no menoscaben la dignidad nacional, ni nos obliguen a falsear el espíritu de evolución social que anima a nuestro pueblo; y, finalmente: para que el ejército de mi país siga siendo el baluarte de las tendencias proletarias y la fuente de donde tomarán su fuerza evolutiva las instituciones sociales, puesto que hoy más que nunca el ejército emana del pueblo, y pretende, al amparo de una tendencia orgánica, reconstruir sus filas con elementos de todo el país, a fin de compartir con ellos la responsabilidad que tiene una institución que es la salvaguardia del régimen revolucionario.

Protesto luchar para llevar a la práctica todos esos anhelos, que representan integralmente el programa del Partido Nacional Revolucionario, dictado por la Revolución misma e impuesto por el pueblo, constituido en árbitro de su situación.

Reconozco que tanto entusiasmo y tan grande ideal significan una responsabilidad impropia para ser llevada aisladamente; y, por eso, pienso que sólo un movimiento unánime de las clases trabajadoras y un esfuerzo disciplinado y entusiasta del sector revolucionario, podrán facilitarme la realización de estos propósitos. Consciente de mi deber, así lo exijo; y pido que el gran conglomerado social —que está pendiente de los actos de esta reunión popular y revolucionaria— se considere ligado al estatuto de la Revolución, para marchar todos unidos a la conquista de los intereses comunes. Es tanto más justificado este llamamiento que hago a los ciudadanos del país —y en particular a los revolucionarios y a los que quieren serlo en verdad—, cuanto que el Partido

Nacional Revolucionario fue creado con sinceros propósitos de fraternidad colectiva, con sana intención de encauzar la opinión de las masas y con el fundamento lógico de mantener la unidad revolucionaria. Sus tendencias, como organismo político, fueron claramente establecidas para fomentar la función cívica electoral y garantizar la autenticidad del voto, eliminando conflictos innecesarios entre los componentes del régimen revolucionario, y para mantener dentro de su seno, como garantía de éxito, una celosa disciplina de principios y de procedimientos, que no permita el menoscabo de los ideales de la Revolución; y, cualesquiera que hayan sido los errores circunstanciales de esta agrupación nacional, representa, sí, la fuerza organizada de la Revolución, y es el medio a propósito para desarrollar sus tendencias, así como para realizar los propósitos revolucionarios que predominan en el pensamiento director del gobierno de la nación.

Fundamentalmente, considero que los fracasos de los pueblos en sus luchas, así sean evolucionistas o revolucionarias —pero con una meta claramente definida— no dependen de la falta de expresión más o menos brillante de sus doctrinas, sino que contribuye en grande escala a estos fracasos la torpeza o mala fe de los hombres que trataren de llevarlas a cabo. Es por eso que los yerros de una institución, cuando son hijos de los hombres, pueden ser corregidos con el sano impulso de los miembros que se renueven.

Entre los ciudadanos de Michoacán

Al tocar por primera vez, ya con su carácter de candidato presidencial del PNR, una población de su entidad natal, Michoacán, el general Cárdenas dijo lo siguiente:

El recibimiento que me han hecho mis conciudadanos de La Piedad al pisar mi estado natal, me ha conmovido profundamente y debo hacer un esfuerzo para dominar las impresiones de mi corazón. En mi carácter de candidato a la Presidencia de la República del Partido Nacional Revolucionario, declaro solemnemente ante el pueblo de mi estado que sólo con el apoyo de las clases trabajadoras podré levantar airosamente, si el voto me eleva a la Presidencia de la República, el estandarte que la Revolución puso en mis manos en Querétaro.

Deseo vivamente que mi presencia sea benéfica para mi entidad natal y que sea motivo de unificación entre todos los grupos sociales. No quiero enconos ni diferencias, porque de haberlas, sé que se estorbará el programa social de la Revolución, en el que todos ciframos nuestras esperanzas, y creo que hoy, como en el período constitucional de 1928 a 1932, los trabajadores de mi estado sabrán mantener su disciplina y unificación, porque esto es lo único capaz de facilitar su beneficio positivo. Sé que los obreros y campesinos tienen muchas necesidades en Michoacán y en toda la nación: las conozco; y pueden tener la seguridad de que sabré ayudarlos en la conquista de sus derechos, y si esto no hago en la Presidencia de la República, que la Revolución me lo demande.

El V Congreso Estatal de la CRMDT

En la sesión inaugural del Quinto Congreso Estatal de la Confederación Revolucionaria Michoacana del Trabajo, el día 31 de diciembre de 1933, el entonces candidato presidencial pronunció las siguientes palabras:

Al celebrar la Confederación Revolucionaria Michoacana del Trabajo su V Congreso, me siento obligado a ser el primero en dar mi calurosa felicitación a todo el conglomerado que integra esta organización, por el espíritu de fe que han puesto en la fuerza misma de los derechos del trabajador, permaneciendo unidos para ayudarse en sus luchas de mejoramiento moral y económico. He venido siguiendo paso a paso los triunfos y sinsabores que los trabajadores de Michoacán han registrado en su larga lucha por organizarse, y debe ser satisfactorio para ustedes palpar hoy la conciencia de organización que priva ya en el corazón de los obreros del campo y de la ciudad, de las mujeres, de los maestros y de los estudiantes, al presentar este conjunto que con toda nobleza aspira a la redención económica de los trabajadores, por la que pugnaron los viejos luchadores ya desaparecieron o ausentes de la lucha social en el estado.

En mi "Informe" de 1932, al hacer entrega del

gobierno del estado, expresé con toda franqueza que a la Confederación Revolucionaria Michoacana del Trabajo, es decir, a ustedes, se debió que el gobierno de mi cargo hubiera podido realizar su misión revolucionaria, rompiendo con precedentes y costumbres que venían estancando el pensamiento del pueblo michoacano; y hoy, que vuelvo a encontrarlos llenos de fe, organizándose con un amplio sentido de responsabilidad y de trabajo, deseo que mantengan esta misma actitud, noble en extremo, para que sirva de ejemplo a todos los sectores del estado; que pasen por alto en esta vez las debilidades registradas en contra de la organización; que no se manifiesten aquí pasiones de ninguna naturaleza y que todo aquello que sea una inquietud para sus intereses colectivos lo traten serenamente, para dar una prueba más de que en esta organización existe verdadera conciencia de responsabilidad.

Que por ustedes sepan los obreros y campesinos del país, que si al llegar a asumir los destinos de la nación los encuentro unificados, ésta será mi mayor satisfacción; pero que si por alguna circunstancia permanecen dispersos o divididos, haré lo que hice al recibir el gobierno de Michoacán: un nuevo llamamiento a todos los trabajadores del país para que dejando antagonismos formen un solo frente, garantizándoles un libre ejercicio, como lo tuvieron ustedes y los que dependían de otras directivas durante mi administración, para que sea el frente único de los trabajadores organizados de México un factor de mayor importancia en el desarrollo industrial y agrícola de la república, y que cuidaré de evitar se lance a los trabajadores para que se destrocen entre sí, porque sería criminal y se daría la impresión de que unos y otros actúan en favor del capital, afectando los intereses del proletariado.

Decidles también a los obreros y campesinos del país que ya en el "Plan Sexenal", aprobado en la Convención Nacional de Querétaro, está incluido atender las necesidades de los campesinos, activando las dotaciones de tierras a los que carecen de ella y proporcionándoles el crédito necesario para mejorar sus cultivos, y que los obreros en general tendrán también la atención que merecen, exigiendo se mejoren los salarios y organizando cooperativas de producción, como medio eficaz para lograr una mejor retribución al esfuerzo del mismo obrero. Y por último, decidles que los hombres de la Revolución tenemos fe en que los obreros y los campesinos organizados de México se preocuparán por rendir un esfuerzo máximo de trabajo, para aumentar la producción y estar así preparados ante las resistencias que en el futuro pudieran presentarse en el país.

Los tribunales menores

Refiriendo los hechos acaecidos en el pleno extraordinario de la Confederación Campesina "Emiliano Zapata", con matriz en la ciudad de Puebla, Pue., *El Nacional* de 29 de enero de 1934 publicó: De pie ante el conjunto de las delegaciones, con la frente erguida sobre el ondeo de los estandartes rojos, el señor general Cárdenas pronunció los siguientes conceptos, una vez que hubo escuchado las exposiciones de los campesinos:

He estado con ustedes, en Puebla, animado del vivo deseo de que mi presencia pudiera producir benéficos resultados para la resolución de sus problemas y, afortunadamente, ustedes mismos han manifestado en sus discursos lo que he venido predicando como único medio para conseguir las aspiraciones del pueblo: la unificación de todos los elementos trabajadores. En mis recorridos por diversas partes de la república —añadió— he encontrado, desgraciadamente, divisiones entre los trabajadores, debidas en gran parte a la circunstancia lamentable de que algunos funcionarios de los estados no han tenido la inteligencia necesaria para administrar los intereses de sus pueblos y se han convertido en gobernantes de facción.

La situación del proletariado poblano

En vísperas de salir del estado de Puebla —continuó—, abrigaba serios temores de que mi presencia no hubiera servido para lograr la unificación de los trabajadores, o cuando menos la tranquilidad que necesitan para gestionar los asuntos que les interesan en el orden social y económico. Afortunadamente, ayer y hoy he confirmado que son favorables las condiciones en que se encuentran los trabajadores de Puebla por

las relaciones de amistad y de confianza que existen
entre ellos y su gobierno, y que son mucho mejores
que las que he podido observar en otros estados.

Respeto para la voz proletaria

El general Cárdenas se encuentra plenamente a gusto entre
los obreros y los campesinos. El ambiente del mitin es su
propio ambiente, y jamás se le encuentra tan complacido
como cuando lo apretuja la multitud y los trabajadores se
dirigen a él con entera confianza. Con sencillez de maestro
en el aula, el candidato, refiriéndose a la asamblea ante la
cual actuaba (que hablar palabras de verdad y de fe es
actuar), dijo después:

> La celebración de estos plenos proletarios, que debe-
> mos considerar como tribunales populares, es indispen-
> sable para que los trabajadores puedan exponer los
> problemas que los afectan. Cuando estuve en Michoa-
> cán —prosiguió aludiendo a sus experiencias de go-
> bernante— tuve oportunidad de oír en las asambleas
> a muchos representantes de organizaciones municipales
> y distritales que denunciaban en forma enérgica com-
> plicidades en contra de la Revolución y que concreta-
> ban quejas respecto de algunos elementos que compar-
> tían conmigo las responsabilidades del gobierno. Esa
> actitud fue siempre aplaudida por mí, ya que me
> permitió corregir abusos y remediar atropellos en los
> que yo no tenía más culpa que ignorarlos. Tuve así,
> constantemente, la oportunidad de conocer en esos tri-
> bunales del pueblo, manifestaciones sinceras de su si-
> tuación y de sus deseos.

Y al finalizar su discurso —concluye El Nacional—, que
mantuvo en suspenso a campesinos y políticos, el general
Cárdenas se encontró de hecho, sin metáforas, en brazos de
la multitud. No contentos con aclamarlo, los campesinos su-
bieron al tablado del Salón de Actos para abrazarlo, para
comunicarle la impresión o el propósito que según sus consejos habían formado, y para enterarlo, en fin, de todos esos
pequeños asuntos trascendentales que dan estructura y sostén
a la vida de la provincia.

Un gobierno revolucionario y moral

Ante una enorme multitud reunida en la playa, el general Cárdenas expuso en el puerto de Veracruz, el día 10 de febrero de 1934, las siguientes concisas declaraciones:

Al presentarme al pueblo revolucionario de Veracruz, lo hago con verdadero entusiasmo por considerarme profundamente ligado a su sentir ideológico. La declaración de mi candidatura por el Partido Nacional Revolucionario y la adhesión de numerosas agrupaciones de obreros y campesinos, me decidieron a aceptar mi postulación, con el único propósito de servir a los intereses de la Revolución; y quiero que tome en cuenta el pueblo de esta entidad y el de todo el país, que si llego a ocupar la Presidencia de la República haré un gobierno de orden esencialmente revolucionario y estrictamente moral.

En la política nacional tendremos como norma el "Plan Sexenal" aprobado en la Convención Nacional de Querétaro. Su programa es el producto de las necesidades sociales que ha hecho sentir el mismo pueblo, y tendrá que activarse en el próximo período constitucional. Pero para cumplir con este programa, en el que están considerados: impulsar la educación del pueblo, explotar las riquezas naturales por nuestros nacionales mismos, elevar el poder adquisitivo de los obreros, la distribución de las tierras a los pueblos que carecen de ellas, y desarrollar la industria del país por medio de la organización cooperativa de los trabajadores, es indispensable que los pueblos se organicen para que las mismas organizaciones sean el más fuerte sostén de sus propios intereses. Existe en toda la nación un profundo deseo de que el pueblo trabaje, de que el país progrese y de que se mejoren moral y económicamente las masas obreras y campesinas de la república; pero para esto, y para cualquier otra tendencia que quiera el pueblo ver realizada, se hace necesario que se organice, porque toda idea impulsada aisladamente hace nulos sus esfuerzos y es por esto que vengo insistiendo en que todos los trabajadores de la república se organicen, desprendiéndose de cualquier pasión.

Al saludar al pueblo veracruzano y agradecerle el

respaldo que se sirve demostrarme con esta manifestación, quiero también hacerle conocer mi criterio sobre la sucesión presidencial en el sentido de que respetaré, y haré que mis amigos respeten, toda campaña que se desarrolle en favor de cualquier candidatura.

El frente único de los trabajadores

El día 11 de febrero de 1933, en el Salón de Actos de la organización proletaria que se menciona a continuación, el general Cárdenas dijo lo siguiente, después de escuchar con atención a más de siete oradores obreros:

Agradezco a la Unión de Estibadores y de Obreros Ferrocarrileros del puerto de Veracruz la invitación que se sirvieron hacerme para asistir a este mitin. Quiero reiterarles a ustedes que si la candidatura presidencial del Partido Nacional Revolucionario, que yo represento, triunfa en el país, cumpliré con el programa del "Plan Sexenal" aprobado por la Convención de Querétaro, el cual, como dije ayer, satisface las necesidades que el mismo pueblo trabajador ha señalado y que tendrán que resolverse en el próximo período constitucional.

Varios de los elementos que tengo el gusto de que me acompañen, han oído repetir por mí en los distintos lugares de los que he venido recorriendo, y de manera insistente, el consejo de que se organicen los trabajadores del país, de que se unifiquen, si es que quieren ver realizadas sus aspiraciones. Afortunadamente, he tenido una larga experiencia, ya en la administración que me tocó el honor de encabezar en Michoacán, ya en mi actuación como militar en distintas comisiones, y esta experiencia recogida me ha llevado al convencimiento de que es imperiosa necesidad para el país la organización del pueblo trabajador. Mi insistencia en este tema obedece a mi concepto de que toda administración requiere ese factor poderoso que es el elemento trabajador, para hacer cumplir las leyes, porque si no cuenta con la fuerza ni el apoyo de éste, su labor será nula a causa de que los distintos intereses egoístas que existen en el país oponen resistencias cuando se trata de cumplir una ley radical o cuando se trata de modificar otra para el mejoramiento de las condiciones de vida del proletariado. Por otra parte, como dijo uno de los elementos aquí reunidos, sólo organizándose estarán los trabajadores en condiciones eficaces para exigir, a mí o a cualquiera otro ciudadano que ocupe el poder, la satisfacción de las necesidades del pueblo.

Esfuerzo en pro del frente único

He tenido la oportunidad de conservar contactos con organizaciones de trabajadores de otros estados, y he visto que el esfuerzo que hacen no es para encerrarse entre sus cuatro paredes ni para procurar solamente por sus propios intereses, sino que van hasta los desorganizados para instarlos a que formen un frente único.

A continuación, el general Cárdenas hizo hincapié una vez más en lo necesario que es la constitución de un frente único, y manifestó el mensaje unificador que viene esparciendo por todo el país, el que la Revolución cumplirá sus promesas al pueblo. Ampliando una idea antes expuesta, el candidato manifestó que las masas organizadas deberían ejercitar sus derechos, exigiendo al gobierno federal, a los de los estados y a los de los municipios, la reforma de las leyes y medidas en vigor cuando éstas ya no satisfagan los anhelos del pueblo.

Derechos y obligaciones

Después, con frase vigorosa, el candidato añadió:

Y si ustedes, como los trabajadores de otros lugares de la república, van a los campos y a los centros, donde no haya organización, a organizar a los obreros, ésta será una de las formas con que cumplirán con su deber; porque si tienen derechos deben reconocer también sus obligaciones con sus demás hermanos de clase, ya que para estimar que una organización nos presta verdaderos beneficios, necesitamos que nos demuestre que no se ha encerrado en su egoísmo sino que está laborando en favor de todos los trabajadores que aún no gozan de los triunfos de la Revolución y muchos de los cuales todavía viven en condiciones de miseria. Mi mensaje, pues, es en el sentido de que procuren la unificación, a fin de que más tarde debidamente organizados, puedan exigir a quien llegue al poder el cumplimiento de sus obligaciones para con el pueblo de México.

Organización de la mujer y de la juventud

En la población de Emiliano Zapata, Tab., desde el balcón de la casa que habitó el prócer José María Pino Suárez, el general Cárdenas se dirigió a las masas roji-negras de aquella entidad en los siguientes términos:

Formar una nueva patria que justifique la sangre derramada en nuestras contiendas internas, es lo que ha querido la Revolución Mexicana. Una nueva patria como la que está formando el pueblo de Tabasco, que tanto apoyo ha prestado a nuestro movimiento social para el cumplimiento de sus finalidades. ¡Cuánto daríamos porque en otros estados de la república existieran organizaciones de mujeres, jóvenes, obreros y campesinos, y de todos los componentes de nuestra economía, semejantes a los que existen en Tabasco! Sólo así se justifica la Revolución, que en sus banderas tiene escrito el mejoramiento integral de las masas, lo que sólo puede lograrse mediante la organización. Los trabajadores aislados no consiguen la realización de sus aspiraciones, y por lo que respecta a Tabasco, bien podemos afirmar —como lo dijo nuestro malogrado general Álvaro Obregón— que es baluarte de la Revolución, porque se advierte lo que en beneficio del pueblo han podido hacer un firme propósito y una energía constante y bien dirigida.

En el recorrido que estamos efectuando por el país, en el cual todos venimos inspirados en el deseo de conocer a fondo los propósitos y problemas que preocupan a las distintas regiones que lo forman, hemos encontrado muy contados sitios donde pueda mostrarse una labor de conjunto tan magnífica como la realizada aquí, en Tabasco, donde se siente intensamente la acción femenina y donde la juventud ha uniformado sus anhelos y hasta su aspecto externo, en la vestimenta roji-negra que usa, a fin de dar una demostración más perfecta de organización y de disciplina.

Organización de conjunto en todo el país

Seguramente no está muy lejos el día en que esta organización sea lograda en toda la república, ya que contamos con el entusiasmo y la buena fe de las masas proletarias; con el idealismo de la juventud, con el deseo de liberación de las clases indígenas, con la labor cada día más fecunda de la mujer mexicana; en fin, con afán de cooperación de todos los sectores que componen nuestra nacionalidad.

Es por esto que aprovecho la presencia de este gran conjunto de ciudadanos tabasqueños, para enviar mi salutación al pueblo todo del estado y para pedirles que lleven el mensaje de organización y de unificación no sólo a los centros que ya se encuentran imbuidos de este propósito, sino particularmente a los sectores indiferentes, manifestándoles que se disciplinen al espíritu de colectividad para resolver no sólo el problema general del país, sino el problema de sus propias familias; es decir, expresándoles que no deben dejar a sus hijos, como herencia, la resistencia para el progreso y el bienestar general del país.

El divisionario michoacano recordó después su discurso ante el Congreso Agrario de Chiapa de Corzo; recomendó, asimismo, organización y unificación, entendidas ambas no sólo dentro de los recintos de cada entidad, sino con un espíritu más amplio de cooperación interestatal.

Afortunadamente —dijo el candidato— Chiapas tiene muy cerca un hermano como Tabasco, que le prestará siempre ayuda y apoyo en el afianzamiento de los derechos revolucionarios. Que Tabasco siga prestando esa cooperación a los estados limítrofes y a todos los de la república, y es por esa actitud generalizada por la que en tiempos no lejanos esperamos contemplar organizadas y fuertes a las mujeres y a la juventud, a los obreros y campesinos, a los trabajadores de toda condición.

Refiriéndose a las palabras de salutación de varios de los oradores, el señor general Cárdenas dijo después que deseaba hacer una aclaración:

No es ningún sacrificio recorrer pueblo por pueblo en una gira electoral. Es obligación nuestra saludar a los amigos, conocer sus necesidades, enterarnos de sus aspiraciones, y esta obligación ha sido siempre cumplida por los hombres de la Revolución, que si no visitaron estos sitios, sí recorrieron otros muchos de la república. Yo mismo no tendré tiempo de ir a muchas ciudades del país, y por esto he encomendado hoy a quienes me hicieron el honor de escucharme que lleven mi saludo a todas las poblaciones de Tabasco.

Responsabilidad política de la clase trabajadora

El 9 de marzo de 1934, en Campeche, Camp., el general Cárdenas visitó la próspera Cooperativa de Carboneros del estado y habló a sus miembros en la siguiente forma:

Agradezco profundamente las demostraciones de afecto que esta simpática organización de trabajadores me ha hecho en estos momentos, y excito a todos ustedes a continuar laborando por el bienestar de los conglomerados socialistas. Donde hay una organización como la presente, queda demostrado que la Revolución ha cimentado sus principios, y por eso los felicito calurosamente.

He observado con profunda atención las condiciones que prevalecen en esta zona del país y me es grato hacer presente a ustedes que ha despertado mi admiración la organización de las clases obreras y campesinas de Tabasco, estado donde se respira un ambiente de entusiasmo, de disciplina y de franqueza, y donde el gobernante, licenciado Tomás Garrido Canabal, ha llevado a cabo una gran obra social, eliminando del pueblo el fanatismo, que ofusca su espíritu, y al alcoholismo, que envilece a los hombres. Algunos elementos han censurado que en la gira que actualmente realizo por el país, repita incesantemente mi mensaje de unificación y organización de los diversos sectores de la economía, y dicen que estamos haciendo uso de un disco gastado. La unificación y la organización de los trabajadores son la base fundamental para todo progreso revolucionario, y es preciso insistir en esta idea hasta que quede profundamente grabada en la conciencia y en la realidad de nuestra patria.

Los trabajadores deben ir al poder

Uno de los candidatos a la Presidencia de la República insinuó recientemente su deseo de que los trabajadores vayan al gobierno. Ésta no es una novedad para mí. Siempre he querido que los obreros y campesinos organizados tengan el poder en sus manos, a fin de que sean los más celosos guardianes de la continuidad de la obra revolucionaria, exigiendo el cumplimiento de las leyes avanzadas y combatiendo, si es necesario, a los malos funcionarios que se aparten de ella. Siempre encontrarán en mí los trabajadores de mi país un amigo y un defensor. Cuando tuve el honor de dirigir los destinos de mi estado de Michoacán, la inmensa mayoría de las autoridades municipales y de los puestos representativos en la legislatura local fueron entregados a los trabajadores organizados, y, asimismo, se impuso el cooperativismo en contra de los intereses creados.

Uno de mis mayores anhelos es que las clases trabajadoras tengan abiertas francamente las puertas del poder, pero para ello es necesario que se organicen, disciplinen e intensifiquen su acción social, no dentro de una esfera limitada sino abarcando todas las actividades de la colectividad y contando con la cooperación de la mujer y de la juventud, puesto que sólo así las clases trabajadoras compartirán las responsabilidades que se les han señalado y es sólo así como lograrán su emancipación integral.

El campesino debe resolver sus problemas

El día 10 de marzo de 1934 el general Cárdenas llegó a la Casa del Pueblo, en Mérida, Yuc. Según la versión de *El Nacional*, el candidato pronunció el siguiente discurso:

Ante la masa de trabajadores aquí presente, doy mi cordial saludo a todo el pueblo yucateco, manifestándole la inmensa satisfacción que me embarga al encontrarme en la tierra de Felipe Carrillo Puerto, en donde se le guarda verdadero cariño por todo lo que hizo en favor de la clase proletaria; en la tierra en la que todo el país ha tenido puestas sus miradas por el espíritu de organización social que lo ha caracterizado y que ha venido reflejando a distintos lugares de la república. Con mi carácter de candidato a la Presidencia vengo haciendo mi recorrido por todo el país, y hoy me toca visitar al pueblo de Yucatán para conocer cuál es su sentir político y para explicarle también cuál será la actitud que asumiré si llego al poder, para que el pueblo yucateco vea si me ratifica o no su confianza en la próxima elección presidencial.

Se ha dado a conocer ya en todo el país el programa de gobierno que, de acuerdo con el "Plan Sexenal" aprobado en la Convención Nacional de Querétaro, tendrá que regir el próximo período constitucional. En él está sintetizada la obra que ha querido la Revolución se desarrolle en todo el país, para conseguir la transformación moral y económica que exige el estado actual del elemento trabajador de México. Más escuelas; nuevas vías de comunicación; organización del crédito para refaccionar preferentemente a las cooperativas de trabajadores con objeto de impulsar la agricultura en el ejido, librando con el beneficio del crédito a los mismos trabajadores de la intervención de los acaparadores voraces.

Se cumplirán los postulados agrarios

La Revolución quiere que se cumplan fielmente los preceptos agrarios en todo el país. Por lo que respecta a Yucatán, se me ha informado que existen expedientes, con la resolución presidencial, detenidos desde hace mucho tiempo sin que se haya cumplido con el mandato de dotación que con todo derecho han pedido los pueblos, y vengo a expresar a ustedes, a nombre de la misma Revolución, que el postulado agrario se cumplirá muy pronto en este estado.

Tengo conocimiento, por el presidente del comité ejecutivo del Partido Nacional Revolucionario, aquí presente, que el ciudadano Presidente de la República ha dictado ya las órdenes necesarias para que el jefe del Departamento Autónomo Agrario resuelva desde luego el problema latente en esa entidad. Y consecuente con esta necesidad, quiero hacer la aclaración, ante el conglomerado que me escucha, sobre la finalidad de la Revolución en materia de dotación de tierras a los pueblos. ¿Que no se han dado las dotaciones en Yucatán, porque las tierras afectadas por la resolución presidencial están cultivadas de henequén?

Digo a ustedes a nombre de la Revolución que las tierras deben dárseles para que ustedes mismos sigan cultivando el henequén. El espíritu de la ley no debe interpretarse en el sentido de que la dotación de tierras a los campesinos sea únicamente para que resuelvan el problema de su alimentación, y por lo tanto no deben buscarse, como se pretende aquí, tierras dónde cultivarse el maíz y el frijol. La Revolución quiere que la tierra venga a resolver el problema económico de los trabajadores en forma que les permita atender su alimentación, su vestuario, el alojamiento, la salud y su educación; es decir, elevar el nivel de vida del trabajador, que es el verdadero productor, y por lo tanto, si los expedientes resueltos por sentencia presidencial y otras solicitudes que se hayan presentado ante la Comisión Local Agraria, sólo pueden ser resueltas por localizaciones en tierras en que nada más puede producirse el henequén, deben dársele a la población campesina para que, dedicándose a este cultivo, resuelvan su problema.

No se reducirá la producción

Se ha dicho que la dotación de tierras a los pueblos campesinos, afectando las tierras en que se cultiva el henequén, reducirá la producción, y yo aclaro que no están en lo justo quienes esto sostengan, porque los ejidatarios organizados y atendidos con el crédito necesario harán producir las tierras tanto o más henequén que el que se obtiene hoy.

El pueblo de Yucatán puede estar confiado en que no se reducirá la producción del henequén con las dotaciones ejidales, sino al contrario, se impulsarán los cultivos así como se impulsará también la producción del coco, el plátano y el ajonjolí en Campeche; el plátano en Tabasco; el café y el plátano en Chiapas, y así por todo el país aquellos productos que preferentemente estén aumentando la riqueza nacional.

El recorrido que hago por el país y la visita que realizaré a los pueblos de esta entidad, me servirán para conocer los problemas que existen, y proyectos de trabajo que sugieren los pueblos, para que en el caso de que llegue al poder me sirvan de base para atenderlos durante mi período.

Organización social, no electoral

Deseo que los hombres del poder de esta entidad y los directores del glorioso Partido Socialista, sepan aprovechar el gran espíritu de organización que existe en el pueblo trabajador de Yucatán; que este conglomerado no se dedique únicamente a los intereses políticos, sino que se asocie más fuertemente para la acción de trabajo que venga a resolver su problema económico; que desarrolle una acción enérgica para desterrar del seno de la organización el vicio del alcoholismo, y ojalá que las organizaciones de trabajadores de Yucatán sigan el ejemplo que tienen en Tabasco, en donde la acción contra el vicio del alcohol y del fanatismo ha sido muy enérgica, mereciendo el aplauso de los mismos trabajadores de aquel estado.

No queremos masas aprovechadas solamente para las contiendas políticas. Queremos que las masas aprovechen su organización en mejorar su economía, queremos que la misma organización sea un factor de convencimiento que ayude a cambiar la estructura moral y económica que aún sigue rigiendo en muchos lugares de la república, en donde los trabajadores tienen en las utilidades una participación muy reducida. Queremos, en concreto, que los trabajadores eleven su nivel de vida, pero para todo esto es indispensable que no actúen aisladamente y menos que se presten a registrar en su seno divisiones que les traen serios perjuicios, con gran beneplácito de sus explotadores.

Por eso pido a esta organización que, dándose cuenta de su responsabilidad ante el movimiento social de México, se ponga a la altura de su deber, no permitiendo que dividan a sus miembros, sino al contrario, haciendo que se estrechen cada día más y más, para que ustedes mismos puedan ver pronto los resultados económicos a que tienen derecho; que no presenciemos más la división que observamos hoy en la manifestación por asuntos locales, porque de seguir esa actitud no podrán constituir el frente único que será el que pueda dar fuerza política, moral y económica a los trabajadores de Yucatán.

El ejército de la Revolución

Está también señalado en el "Plan Sexenal" atender al Ejército Nacional, que merece toda nuestra consideración por ser el sostén de nuestras instituciones, y para conseguir el mejoramiento anunciado por el "Plan Sexenal", seguiremos atendiendo a su preparación científica, y se estudiará la legislación militar que está en consonancia con la Constitución General de la República, y se empeñará mi administración en dotar a sus miembros del alojamiento y hospitales adecuados, creando también el seguro de vida para jefes, oficiales y muy especialmente para la tropa. El sector obrero tendrá también las garantías necesarias, dándose la legislación que garantice debidamente sus intereses. Pero para cumplir con toda esta responsabilidad, insisto en que el elemento obrero y campesino del país se organice debidamente para que esté en condiciones de velar por sus propios intereses y de exigir, si fuera necesario, que se atienda a sus necesidades.

Al reiterarle mi saludo, quiero que hagan conocer a todo el pueblo de Yucatán que visitaré el mayor número de pueblos de esta entidad, para conocer cómo viven y qué problemas tienen, con objeto de documentarme debidamente y ponerme más tarde, si llego al poder, al servicio del pueblo yucateco.

El deber de la nueva generación

En la ciudad de Mérida, el general Cárdenas convivió varias horas con los estudiantes de las escuelas superiores. El día 16 de marzo, después de escuchar a varios de sus oradores, dijo lo que sigue en el local de la Escuela Preparatoria del estado:

Actos como éste son los que puedo asegurar a ustedes que me causan verdadera satisfacción, y no porque estime a ustedes como un contingente que pudiera ser aprovechable en el movimiento preelectoral que estamos desarrollando actualmente en la república, sino porque me da oportunidad de conocer a este grupo perteneciente a la juventud estudiantil yucateca en la que elementos de distintas partes del país, principalmente de Michoacán, tenemos puestas fundadas esperanzas de que corresponda como siempre ha correspondido al movimiento social que vive México.

La juventud debe prepararse

Al darme personalmente el saludo por mi presencia en este establecimiento, se ha hablado de los principios revolucionarios, de las tendencias de la Revolución, y es satisfactorio oír a la juventud expresarse en los términos en que lo hizo el joven estudiante que me dirigió la palabra y qué satisfacción sería para la Revolución que esa juventud fuera orientada debidamente para que prestara el contingente social a que está obligada ante México y ante la propia Revolución.

Como representantes de la Revolución, nosotros deseamos que la juventud cumpla su misión social ante la república. Que la juventud de hoy se prepare debidamente para que pueda encauzar mejor en lo futuro al país que como pudimos haberlo encauzado los hombres que hemos venido prestando hasta ahora nuestros servicios a la república.

Queremos que esta juventud se prepare debidamente para que con ventaja venga mañana a reemplazarnos en el servicio público; deseamos que se oriente debidamente en los problemas morales y económicos de la nación.

Desconocimiento de los problemas

Se ha hablado aquí de las condiciones en que se encuentran los obreros y campesinos del país, y desgraciadamente hemos visto en muchos lugares de la república que la juventud estudiosa, la juventud de las universidades, desconoce los verdaderos problemas que tenemos en los campos y en el taller, y que a pesar de las rebeldías que muchas veces ha ostentado no se manifiesta, por desgracia, como la mejor defensora de la Revolución.

Hemos podido apreciar en muchos lugares que los elementos estudiantiles lanzan críticas contra el movimiento agrario y el movimiento sindical de los trabajadores, pero yo espero que esa actitud será rectificada por los estudiantes yucatecos y que éstos sigan siempre en un período ascendente, colocándose a la altura de la organización que quiere México impulsar en todos los lugares del territorio.

Las esperanzas de la Revolución

Deseamos que así como en distintas partes de la república el elemento estudiantil está tomando su puesto en la vanguardia del movimiento social, la juventud yucateca se tome de la mano con aquellos grupos y forme con ellos un frente a fin de realizar la esperanza que la Revolución tiene puesta en ella.

En lo personal, deseo que este mensaje, trasmitido a mí hace un momento, sea realidad en todos y cada uno de ustedes, y que logren compenetrarse de cuál es el movimiento social que sigue México para conseguir la elevación moral y el mejoramiento económico que se busca para los obreros y campesinos, y para todos los trabajadores del país, a fin de que ustedes sean los propagandistas del ideario de la Revolución.

Nuevos derroteros

Que ustedes jamás den el espectáculo a que antes me refería de atacar el movimiento agrario, el movimiento obrero, la campaña antialcohólica o la desfanatización; problemas en los cuales la juventud tiene tan importante papel. Veo en este acto elementos femeninos, en los cuales también la Revolución tiene puestas sus esperanzas porque sabe que constituyen uno de los factores más fuertes para conseguir la modificación de criterio de la niñez y la organización de las clases adultas del país, que hoy están participando en la vida pública con derroteros diferentes.

Tenemos la esperanza de que los maestros sean los guiadores no sólo de la niñez sino de los hombres de trabajo. La Revolución no quiere que se pierda el tiempo esperando que los niños de hoy crezcan con una nueva orientación, sino que la Revolución quiere que los hombres de hoy cambien de criterio, para que con un nuevo sentido de su responsabilidad vengan a participar en el movimiento económico que la república busca en favor de sí misma. Esperamos, en síntesis, que todas las teorías expuestas hoy se hagan pronto una realidad y que, aprovechando la espectativa de paz de que disfruta la república y las facilidades que para su desarrollo económico presenta, todos los hombres y jóvenes desarrollen una sola acción organizada y cumplan las obligaciones y responsabilidades que ante la Revolución y la patria tienen contraídas.

Una fiesta de la Revolución

Al inaugurar con el general Plutarco Elías Calles la vi Exposición Regional Tabasqueña, en Villahermosa, el 25 de marzo de 1930, el general Cárdenas dijo:

Inauguro esta Exposición Regional con mi más cálido elogio para el esfuerzo de los hijos de esta entidad que se han propuesto reorganizar su economía interior y las fuentes naturales de producción de que se halla dotado su suelo. Quiero también aprovechar la oportunidad de encontrarse en estos momentos el vigoroso orientador de las actividades económico-sociales de México, para decir mi opinión sobre la situación que guarda el pueblo de este estado con relación al pensamiento y a la obra que persigue la Revolución hecha gobierno, pues me considero obligado a estimular a todos aquellos grupos o funcionarios que cumplen con el deber que nos imponen los postulados de nuestra reforma social.

Un laboratorio de la Revolución

Creo firmemente que nos encontramos en presencia de un verdadero laboratorio de la Revolución Mexicana, en el que el espíritu y las costumbres del pueblo tabasqueño, subyugado ayer por el fanatismo y el vicio del alcohol, se han transformado hoy en dignidad personal, en felicidad doméstica, en conciencia colectiva libre de mitos y mentiras y en vigor racial. En estos hechos tan trascendentales se encierra, digámoslo así, la síntesis de un movimiento que transformará el alma mexicana, pues las evidentes virtudes de nuestro pueblo son tan grandes, que a pesar de las fuerzas tradicionales que lo oprimen sabrá corresponder a todo impulso que trascienda a su redención espiritual y económica, siguiendo el ejemplo del conglomerado y autoridades de esta entidad que, aun a costa de sacrificios de fuertes ingresos, se preocuparon por mejorar su salud y eliminar el culto a la idolatría, que subyugaba a la masas. Tengo confianza en que la intuición y moralidad de las clases populares les harán comprender que en su propio interés está asociarse al desenvolvimiento de un plan, como el sustentado por el Partido Nacional Revolucionario, que fundamentalmente se encauza hacia la desaparición de los sistemas de explotación, que tanto obstruccionan la marcha de la civilización.

Etapa de economía dirigida

Redimido el pueblo de Tabasco del opio clerical y de la ignorancia del vicio, ha entrado de lleno a un franco período de economía dirigida, que tiene por base la organización de las clases laborantes en los sectores de la producción agrícola e industrial, obteniendo con ello una definitiva protección en su esfuerzo y un rendimiento económico que deseamos a los pueblos de otras entidades. Conviene anotar que este contingente clasista se aprovecha de los que anteriormente eran miembros de las llamadas clases sociales y que ahora se confunden en un solo conglomerado lleno de entusiasmo por su bienestar. El arte y las diversiones mismas tienen una tendencia cultural que se esparce por jardines y planteles en los que abandonan los distanciamientos y egoísmos, que antes hacían de la cultura y hasta de la alegría el privilegio de unos cuantos, pues hombres y mujeres del pueblo tabasqueño disfrutan hoy de sano regocijo y confraternizan su vida en las aulas y en frecuentes reuniones sociales que no están maculadas por el dogma ni el vicio, sino que contribuyen, dentro de un ambiente de trabajo y moralidad, a la efectiva unidad social.

La incorporación indígena

Este movimiento arrollador, que ha logrado vincular los intereses e ideales de todos, ha traído como consecuencia necesaria la incorporación de las numerosas tribus indígenas que residen en este territorio a la civilización, que antes les negaba su capacidad democrática, su igualdad civil y su consideración humana, desterrando el fanatismo y el alcoholismo imperantes,

protectores de castas y privilegios y causantes de la
ignorancia y abandono en que yacían, hasta el extremo
de desconocer el idioma común de la nacionalidad, las
leyes que los protegen y aun la patria que habitan.
Otra consecuencia necesaria de este intenso movimiento
social ha sido la eliminación de todo choque, de todo
encono personal y de todo interés bastardo en las luchas electorales para la designación de sus mandatarios
locales y federales, pues es inconcuso que en el sufragio
dentro de una colectividad organizada societariamente,
no representan, ni pueden prevalecer, los intereses in-
dividuales o privados sobre los intereses netamente
colectivos.

La obra del magisterio

En esta magna tarea de transformación social, des-
cuella la colaboración disciplinada y decidida de la
juventud, que se prepara a producir más y mejor, y de
la mujer, identificada con el programa de eliminación
de toda clase de especuladores del trabajo. Menciono
con especial propósito de aliento la dinámica y acer-
tada obra del magisterio tabasqueño que, revolucionan-
do sistemas de enseñanza, pone la escuela al servicio
de la emancipación integral de las masas, convirtién-
dola en un agente de moralización general, de economía
agrícola e industrial colectivas y de solidaridad nacional.

Son éstas las razones fundamentales por las que el
director de la Revolución dio siempre su apoyo más
decidido a los gobiernos que, en diversas entidades del
país, representaron una verdadera tendencia de progreso
general y un esfuerzo auténtico de su gobernante por
engrandecer a sus pueblos.

Es por esto también que no descansaré en repetir
constantemente, como lo hago hoy, que se realice la
organización de los trabajadores en un frente único, en
el que todos se tiendan la mano y dentro del que, con
particularidad, sean acogidas las agrupaciones que por
ignorancia o indolencia están aún divorciadas de este
propósito de organización general, pues en otra forma
será sumamente difícil poderlos conducir con éxito por
el camino de su plena emancipación dentro de los cau-
ces que con tanto acierto ha señalado la Revolución en
su "Plan Sexenal".

Garrido cumple con su deber

Para terminar, felicito a todos los hombres avanzados de México, porque estoy seguro se sentirán satisfechos de que existan entidades en las que se haya interpretado fielmente la Revolución, y gobernantes que, como el licenciado Garrido Canabal, han sabido, en mi concepto, corresponder a la confianza y responsabilidad que les depositó la Revolución.

Deberes del gobernante

Del mitin que tuvo lugar bajo el bello Árbol de Santa María del Tule, en Oaxaca, el 15 de abril de 1934, dice *El Nacional* que el candidato pronunció las siguientes palabras:

En nuestro recorrido por los estados de la república, y muy especialmente por los pueblos de la sierra, visitando las comunidades indígenas, hemos podido conocer cuál es el sentir de sus habitantes y los problemas que los afectan y cuál es el beneficio que han podido obtener hasta la fecha. Y en todo he puesto gran interés, porque podré, si llego a ocupar la primera magistratura del país, cumplir con mayor eficacia el programa del "Plan Sexenal" aprobado en la Segunda Convención Nacional de Querétaro.

En los pueblos alejados de las comunicaciones es en donde existen mayores necesidades de orden educativo y económico y es en los que debemos poner más atención. Hay allí grandes núcleos de población indígena que no hablan nuestro idioma y con escaso conocimiento en sus cultivos, que ocasionan la destrucción de los bosques; hay gran número de esos mismos indígenas dominados por el vicio del alcoholismo, casi en su totalidad adormecidos por el fanatismo, la falta de aumento de salario, según lo fija la ley, y los impuestos que en algunos pueblos indígenas se exigen como el de carretas, el individuo para educación y el que se cobra por cada cría que nace de ganado vacuno, aun a los indígenas que poseen una sola vaca, hacen que hasta hoy los mismos indígenas no hayan sentido los beneficios de la Revolución.

Los beneficios del "Plan Sexenal"

El Partido Nacional Revolucionario, que pudo recoger todas estas impresiones del país, ha incluido la solución de ellas en el "Plan Sexenal" que ya ha empezado a desarrollarse y que tendrá que seguirse en el próximo período constitucional. Y para que el Partido y yo mismo podamos realizar su programa, es indispensable que ejecuten una labor de conjunto todas las dependencias de la administración pública; que los ciudadanos presidentes municipales, señores diputados, autoridades judiciales y todos aquellos elementos que tengan puestos de responsabilidad, hagan frecuentes recorridos por su territorio, para que se den cuenta de la verdadera situación de los pueblos; corrijan abusos y estimulen a los ciudadanos, que cumplan con su deber, impulsando con su consejo y conocimiento todas aquellas fuentes de producción agrícola e industrial que puedan aprovecharse en la región que recorran.

Hemos visitado poblaciones en que no conocen al diputado que las representa y poblados de un municipio en donde no llega a presentarse el presidente municipal en todo el tiempo de su ejercicio, actitud ésta que hace que los encargados de la administración ignoren los problemas y necesidades de los pueblos. El "Plan Sexenal" necesita también la cooperación de todos los encargados de la administración pública, haciendo que se supriman los gastos inútiles, reduciendo el número de diputados y empleados para que las economías que se logren vayan a aumentar los presupuestos de educación, comunicaciones y otros ramos; sobre todo, procurando que se suspendan los impuestos injustificados que se hacen efectivos en los centros indígenas. A los miembros de la Organización Confederal, que me ha ofrecido este acto de simpatía y adhesión, les recuerdo la obligación que tienen de manifestarse en todos los actos con un criterio esencialmente clasista, evitando divisiones entre los trabajadores e interesados en formar el frente único, que será el mejor factor para que el proletariado de la república pueda exigir a los gobiernos, y a mí mismo, el cumplimiento en todas sus partes del postulado social de la República Mexicana.

El mensaje a los trabajadores

En la celebración proletaria del 1º de Mayo de 1934, el general Cárdenas se dirigió a los trabajadores de México, por radio, desde la capital de la república, entregándoles el siguiente mensaje:

En este día, en que se glorifica el trabajo, deseo hacer llegar mi voz a todos lo trabajadores de la república, que se congregan hoy para desfilar en honor de los obreros sacrificados por la fuerza capitalista.

Si "el trabajador" es un concepto especialmente económico que connota al hombre en su función creadora aplicada a la producción material o a la producción intelectual para la satisfacción de las necesidades, es lógico suponer que el éxito de toda labor social radica en el grado de cooperación que se presten estos dos grupos de actividades. Indispensable es pues la unión de todos los trabajadores para satisfacer su anhelo, adoptando un sistema económico capaz de proveer de todos los medios suficientes a cuantos viven dentro de él, para que puedan alimentarse, educarse, vestirse, albergarse y disfrutar de las comodidades necesarias.

El "Plan Sexenal" de nuestro instituto político, que establece en diversos de sus postulados la supremacía del sistema cooperativista, organizando socialmente a los trabajadores del campo y de la ciudad como productores y consumidores a la vez, irá transformando el régimen económico de la producción y distribuyendo la riqueza entre los que directamente la producen. Pero no se trata aquí del seudocooperativismo burgués, instituido entre nosotros desde las épocas de la dictadura, sino de un cooperativismo genuino, constituido por trabajadores, dentro del cual puedan colaborar, sin excepción alguna, todos los elementos de trabajo y de consumo, hombres y mujeres, que deseen prestar su contingente para realizar la obra social de la Revolución, acabando así con la explotación del hombre por el hombre, la esclavitud del hombre al maquinismo, y sustituyéndola por la idea de la explotación de la tierra y de la fábrica en provecho del campesino y del obrero. Es de esperarse que mediante este sistema, técnicamente dirigido y ayudado económicamente por el Estado, juntamente con el movimiento sindicalista y con un régimen adecuado de distribución, se logre una eficiente explotación de todas las riquezas naturales, para satisfacer e intensificar el consumo interior, y aumentar nuestras explotaciones para la pronta liberación de nuestro crédito.

Podrá objetarse que en algunos casos el sistema cooperativista no ha respondido a sus fines y ha producido resultados adversos, pero si analizamos serenamente estos fracasos, deberemos convenir que son de atribuirse a causas circunstanciales, como son la poca preparación de los directores de las masas, y aun a la falta de disciplina de los miembros que las constituyen, más bien que a defectos del sistema y del fin económico en que se fundan.

Mejoremos la vida del trabajador

Y para lograr el mejoramiento económico social, intelectual y moral del pueblo, es necesario llevar a cabo la organización de los trabajadores de toda la república, levantando el espíritu indiferente de los individuos que viven atenidos a sus escasos y miserables recursos, a fin de que con el esfuerzo de todos se logre elevar las condiciones de vida del trabajador mexicano. Hay que agregar a esas consideraciones de éxito, como imperiosa necesidad de obtenerlo, la de moralizar, unificar y dignificar el movimiento social, poniendo fin a las rencillas que provocan las divisiones, a la deshonestidad que causa el desprestigio y a la admisión de individuos que persiguen fines exclusivamente personalistas dentro de las colectividades revolucionarias.

No olvidemos que un país como el nuestro, de innumerables recursos naturales, exige para su desarrollo la organización y el esfuerzo unánime de todos los mexicanos, y es por esto que insisto constantemente en recomendar a hombres y mujeres de todo el país, la unión; que dejen a un lado todos sus egoísmos, que sean liquidadas las divisiones que impiden a los pueblos realizar su mejoramiento, que estudien y experimenten el movimiento cooperativista que nos ofrece fórmulas de lucha y de éxito, para que se persuadan de las grandes ventajas que reporta la unión de los trabajadores, quienes con su doble carácter de productores y consumidores constituyen la médula de la economía nacional.

El problema rural

Hemos considerado en otras ocasiones que el problema rural de México no solamente consiste en mejorar la técnica agrícola de las porciones de tierra que actualmente se trabajan, sino esencialmente en satisfacer las necesidades de tierra que tienen los pueblos, así como en desplazar la población de las regiones estériles y de las zonas montañosas, donde hay grandes núcleos, especialmente indígenas, relegados por los excesos de la Conquista, hacia zonas fértiles y de escasa o ninguna población, para lograr así un aumento considerable en la producción del campo, creando nuevas riquezas que se emplearán en la adquisición de artículos manufacturados en las factorías ya existentes y en las que se abrirán con las nuevas demandas. Es decir, a la vez que aumentemos la producción, crearemos necesidades y exigencias que complementan el esfuerzo que se hace por la reivindicación de nuestra economía interior.

Objetivos del programa agrario

Para nuestra justificación, el programa agrario de la Revolución ha venido persiguiendo dicha finalidad, y ha considerado oportuno reformar sus medios de acción con nuevas medidas que le permitan alcanzar el propósito deseado.

Primeramente se ha propuesto facilitar elementos económicos y de trabajo al agricultor para llevar a cabo la explotación de la tierra, creando el Banco Nacional de Crédito Agrícola, que no sólo refacciona numéricamente las actividades del campo sino que trata de introducir una modernización completa en los sistemas de cultivo, y como complemento, crear canales propios de distribución de los productos, para que los rendimientos de la agricultura dejen de beneficiar casi exclusivamente a los intermediarios en la distribución y los campesinos aprovechen los beneficios de las transacciones, ya que son ellos los productores directos de la riqueza agrícola del país y cuyo beneficio es uno de los principales postulados del programa del partido que ha creado la Revolución.

El problema del trabajo

Quiero también referirme a ese sector de trabajadores que aún laboran aisladamente dentro del antiguo concepto de la lucha individual y que, víctimas de su propio aislamiento, se encuentran sin protección alguna dentro del concepto de "parados" o de "libres", problema ingente que hay que solucionar, y que se facilita ya que el problema del trabajo en México, en su interesante sección de los desocupados y de los "libres" explotados, puede tener solución en las grandes extensiones de tierras fértiles, sin cultivo, que abundan en todo el país, así como en los numerosos yacimientos de diversa índole, aprovechables, que encierra nuestro suelo y que prometen grandes facilidades para un positivo desarrollo industrial.

Y si todas estas riquezas que contiene nuestro territorio las ponemos en explotación en beneficio de quienes directamente las trabajan, según son los anhelos de la Revolución, millares de obreros del campo y de la ciudad, sin ocupación o disfrutando un salario exiguo, encontrarán así la solución de sus necesidades. Al hablar a los trabajadores del país de estas distintas fases de su actividad productora, es porque considero fundamental, para cualquier programa de acción social, establecer el principio de que todos los hombres de nuestro país deben tener trabajo suficientemente remunerado para sostenerlos con sus familias en un nivel económico accesible a la educación, pues para que un pueblo pueda instruirse es necesario que pueda sustentarse y disponer del tiempo necesario para el estudio. Nuestro deber fundamental es buscar el sistema más efectivo para lograr este propósito.

Economía, administración, política

Del sur de la república, *El Nacional* del día 15 de mayo se refiere a los mítines sucedidos en el estado de Guerrero los días 10, 11 y 12 del mismo mes:

> (*En Taxco:*) El pueblo quiere que se acabe la explotación del hombre por el hombre, que se combata la ignorancia, que se supriman los centros de vicio a fin de hacer de México una patria respetada y prestigiosa.

Al pueblo mexicano ya no lo sugestionan las frases huecas de "libertad de conciencia", de "libertad de enseñanza" y de "libertad económica", porque sabe que la primera representa la dictadura clerical; la segunda, la dictadura de la reacción que trata de oponerse a la labor del régimen revolucionario en favor de la cultura del pueblo; y la tercera, la dictadura capitalista que sigue oponiéndose al aumento del salario y a que el Estado intervenga en la distribución de la riqueza pública en beneficio de los principales productores, que son los trabajadores.

Es necesario decir que el pueblo sólo obtendrá progreso y mejoramiento cuando fíe en aquellos elementos capaces de tomar a su cargo, con serenidad y buen propósito, la resolución de los problemas del país.

Es por esto que el pueblo no toma ni puede tomar en cuenta aquellos escasos grupos que ayer pertenecieron a las filas de la Revolución y que hoy representan un movimiento oposicionista en las elecciones, tratando de llevar desorientación a los trabajadores con prédicas insinceras.

El pueblo revolucionario sigue las orientaciones del régimen actual porque conoce su sinceridad y porque sabe que están apoyándose en una larga experiencia. Con gran satisfacción hemos podido comprobar en la gira que los trabajadores esperan llenos de fe el desarrollo de la nueva labor económica, y que siguen teniendo confianza plena en los hombres de la Revolución.

(Para terminar su exposición, el señor general Cárdenas manifestó su propósito de contribuir personalmente a la resolución del problema político que tiene el estado de Guerrero, así como de estudiar las posibilidades de desenvolvimiento de sus fuentes de producción.)

(*En Iguala*:) Varios períodos constitucionales se han sucedido desde el triunfo de la Revolución, y son muchas las ventajas que la clase obrera y campesina ha obtenido en el campo educativo y económico. Pero aún resta mucho por hacer, y esta convicción se afirma con la observación de la realidad del país, tal como hemos podido lograrla en el recorrido hecho por la república. En muchos estados, entre otros Chiapas, Oaxaca, Yu-

catán y Campeche, los cuales visitamos en la gira por
el Sureste, el pueblo vive en la miseria espiritual y
económica. En tierras de Tabasco, afortunadamente su
situación es menos difícil; existe allí un espíritu más
abierto, un revolucionarismo más franco, y por medios
radicales se han obtenido muchas de las conquistas
que anhelan los trabajadores en todo el país. Ante la
realidad de nuestra patria, que cuenta ahora con el
"Plan Sexenal" del Partido Nacional Revolucionario,
declaramos que es ya necesario que se satisfagan las
aspiraciones de la Revolución y que no se engañe con
hueca palabrería al proletariado.

La responsabilidad obrera y campesina

Si los hombres del gobierno, si los líderes de la cosa
pública, tienen su responsabilidad, también ésta corresponde en gran parte a los trabajadores; y si hasta
la fecha no han obtenido todo el mejoramiento que
merecen, se debe a que no siempre han otorgado una
franca cooperación a los propósitos de la Revolución.
Se necesita que la clase trabajadora organice sus filas.
Estoy convencido, particularmente por mi experiencia
como gobernador de Michoacán, que no basta la buena intención del mandatario, ni una legislación acer-
tada, para llevar progreso al pueblo; es indispensable
un factor colectivo que representan los trabajadores.
Si éstos no se organizan, creo difícil cumplir totalmente sus aspiraciones durante el próximo sexenio, no
obstante el propósito inquebrantable con que habrá de
animarme al ser llevado por ellos a la primera magistratura de la república.

La cooperación que la Revolución solicita de los
obreros y campesinos no consiste en la celebración de
manifestaciones y en el lanzamiento de vítores entu-
siastas, sino en una preocupación constante por agru-
parse en un solo frente, por despojarse de los prejuicios que estorban su marcha ascendente, por arrollar
todos los obstáculos que se opongan al triunfo de los
postulados de renovación social.

De ustedes mismos dependerá su beneficio y su mejoramiento. En los actuales momentos no es fácil esperar que venga el capitalismo extranjero o mexicano
a situarse en el país, porque sabe que no encontrará la

masa dócil para la explotación que es lo que busca. El capitalismo voraz sólo acude adonde encuentra campos propicios para la explotación humana por medio de bajos salarios. No debemos hacernos ilusión de conseguir la prosperidad de México a base de intereses extraños. Hemos de lograrla con intereses propios. (Anunció así el divisionario michoacano la iniciación de una etapa de lucha austera, de una tarea presidida por la sinceridad de un ideal de renovación y desenvuelta en la pobreza y en el sacrificio; dijo que no pretende guiar a la consumación de una orgiástica hipoteca de los destinos del pueblo, sino al logro de un futuro de honor y de justicia. Esta obra reclama nobleza, generosidad, desprendimiento.)

Excito a los ciudadanos guerrerenses, a quienes conocí como son, viriles y luchadores, el año de 1923 en Campo Morado, para que en la lucha económica den muestra de su espíritu heroico, desoyendo a los falsos consejeros y agrupándose alrededor de líderes sinceros y de nuestra bandera rojinegra, para conseguir la prosperidad y mejoramiento del territorio de que son dueños. Mi excitativa se dirige asimismo al pueblo todo de la república y, por mi parte, empeño mi honor en la promesa de cumplir mis compromisos con las clases trabajadoras, si soy llevado al poder.

Que se acaben los odios, que la lucha sea útil

(En *Zumpango*, al presenciar una manifestación y una contramanifestación de ciudadanos, unidos, sin embargo, en su afecto y simpatía para el general Cárdenas:)

Conciudadanos: ¡Únanse fraternalmente!, ha sido mi grito desde que pisé este estado, convencido de que, si las bajas pasiones siguen dividiendo a los hombres y por intereses bastardos continúan destrozándose las agrupaciones sociales, el sentimiento revolucionario no podrá enraizar firmemente en las masas trabajadoras de Guerrero. En efecto, nada podrá justificar que por diferencias de criterio en política se derrame la sangre entre los elementos que forman nuestro propio partido. Los grupos antagónicos que vienen militando desde hace mucho tiempo, amparados por el prestigio que disfrutan sus respectivos directores, a

quienes profeso mi estimación personal, tiempo es ya
de que se fusionen en un sólo organismo, tanto más
respetable cuanto mejor sea la labor social que desarrolle. A ellos va especialmente mi recomendación,
que extiendo también a todos los habitantes de Guerrero, para que eleven su pensamiento a una altura
mayor que los capacite para entregar sus ímpetus tradicionales a una empresa que beneficie positivamente
a los acaparadores de infortunios.

Si las consecuencias de esta actitud se traducen en
fomentar la organización cooperativa en los centros de
trabajo, el movimiento sindical en los núcleos obreros, la campaña antialcohólica en los poblados y la
tarea desfanatizadora en todas las conciencias, sentiré-
me satisfecho de la visita a esta región, que hago con
mucha complacencia, para ponerme al servicio de quienes buscan el progreso de su tierra, realizando la fraternidad de los guerrerenses. Veo tremolar orgullosa,
en las manos de los campesinos, la bandera rojinegra de las
reivindicaciones, y pido a ustedes que con ese mismo
amor con que transportan esa tela, colocándose bajo
su simbolismo de trabajo y de esfuerzo, luchen por
honrarla, para ser dignos de lo que ella representa.

El campesino podrá defender la Revolución

(*En el ejido de Tres Palos*, cercano al puerto de Acapulco, se congregaron los campesinos revolucionarios de la ex-
tensa zona tropical de Tabares, Gro., para recibir al general Cárdenas:)

Compañeros campesinos: En los días en que me ha
tocado la suerte de convivir con ustedes en esta entidad de Guerrero, me he podido dar cuenta de la penosa situación moral y económica en que se debaten,
ya a causa de pugnas de carácter político, ya sea por
cuestiones de índole agraria o por luchas internas, pero
muy particularmente por la falta de criterio de que
ha adolecido la constitución de las defensas sociales,
confiadas a elementos antagónicos del movimiento agrarista.

Siempre he sostenido que sólo armando a los elementos agraristas que han sido, son y serán el baluarte
firme de la Revolución, se les podrá capacitar para que

sigan cumpliendo su apostolado en vez de continuar siendo víctimas de atentados, como ocurre en toda la república.

El problema local de Guerrero

Tratando el problema local de Guerrero, el candidato del PNR, dijo:

Aquí existe una miscelánea de elementos armados que provocan situaciones difíciles. En primer término me he empeñado porque acabe el problema político, a fin de que el pueblo del estado disfrute de la tranquilidad a que tiene derecho, para la solución de sus necesidades de orden económico. El problema agrario es grave en todo el país y tiene una situación especialmente seria en esta entidad, a causa de la gran pobreza de las tierras. Excepción hecha de las costas, las tierras son miserables y no se logra arrancar fruto de ellas muchas veces ni a costa de grandes esfuerzos. A todo esto tenemos que agregar la falta del auxilio del crédito. Si soy llevado a la Presidencia de la República me esforzaré como lo he hecho en otros lugares por resolver el problema ejidal y dentro de este propósito atenderé con especialidad el ejido de Guerrero.

La resolución del problema agrario

Al reanudar su discurso, se expresó así:

Para la resolución del problema agrario, no entiendo la simple entrega de las tierras a los campesinos. El poder público está obligado a prestar a los ejidatarios toda la ayuda moral y material, para que prosperen económicamente y para que liberen su espíritu de la ignorancia y los prejuicios. En las banderas de la Revolución por la cual hemos venido luchando y por la cual personalmente lo he hecho desde el año de 1913, está escrito que debe entregarse la tierra y la escuela a los campesinos. Con el crédito refaccionario, la implantación de modernos sistemas de cultivos, y la explotación de nuevos productos, con el programa del antialcoholismo y antifanatismo, queda completo el programa revolucionario, en materia agraria. Por fortuna para la Revolución, según lo hemos venido comprobando con gran satisfacción en toda nuestra gira, ustedes los campesinos dan una nota muy satisfactoria. La primera aspiración suya, la primera petición que hacen en todos los pueblos y hasta en las más apartadas rancherías, es la escuela, la de maestros, la de ayuda en útiles escolares. De esta manera están ustedes contribuyendo para la incorporación del campesino y del indígena en la vida de la nación.

Y haciendo un resumen general de su actitud, el divisionario exclamó:

Soy consciente de la responsabilidad que contraigo con los campesinos, que son los paladines más fuertes de la Revolución. Mis palabras no son simples promesas sino que se palparán en hechos desde los primeros días de mi gobierno, si es que soy llevado a la Presidencia de la República. Espero que algún día puedan ustedes decir que Lázaro Cárdenas cumplió los compromisos que contrajo como soldado y como ciudadano de la Revolución.

Los campesinos tendrán su rifle

Y volviendo al tema que fue el central en su discurso, cerró sus palabras con la siguiente declaración:

Entregaré a los campesinos el máuser con el que hicieron la Revolución, para que la defiendan, para que defiendan el ejido y la escuela.

Se abrirán las fronteras a los desterrados

El día 17 de junio de 1934, el candidato llegó a Monterrey. De su discurso en Monterrey (17 de junio de 1934), *El Nacional* dio la versión que sigue:

La Convención Nacional Ordinaria de Querétaro, celebrada por el Partido Nacional Revolucionario, puso en mis manos, para que lo cumpla si soy electo Presidente de la República, el "Plan Sexenal" de gobierno, que es un programa estrictamente revolucionario para la satisfacción de las necesidades ingentes del

pueblo en el próximo período constitucional. Pide ese
plan que se atienda con prontitud y eficacia el problema agrario, a fin de que en el plazo de uno a dos
años queden repartidas todas las tierras que sea necesario otorgar a los campesinos, organizándose además
el crédito del ejido y de la pequeña propiedad, y llevando la escuela a todos los centros rurales, particularmente a los de carácter indígena, mejorando sus condiciones de salubridad, dotándolos de caminos y de obras
de irrigación y, en fin, procurando por todos los medios
la resolución del problema económico.

En materia obrera, el "Plan Sexenal" se preocupa
por la reforma a las leyes vigentes, a fin de garantizar
los derechos de los trabajadores y, en suma, abarca ese
programa todos los aspectos de la vida del país ... Con
el apoyo moral y material de las clases trabajadoras, de
los productores de todo orden, del elemento joven que
por fortuna para Nuevo León participa aquí de los en-
tusiasmos cívicos, y con la ayuda también del sector
femenino, que ya está pasando lista de presente ante
la Revolución, confío en que podré cumplir el programa colectivo que señala el "Plan Sexenal".

Nueva orientación en los servidores públicos

Para hacer que la justicia de la Revolución llegue a
todos los rincones del país, para dar atención a los problemas ingentes de nuestras masas, es precisa una nueva
orientación en los servidores públicos; que los técnicos,
que los intelectuales revolucionarios, se dediquen en sus
gabinetes al estudio de los problemas que les sean sometidos, pero que las autoridades ejecutivas, desde el
Presidente de la República y los gobernadores de los
estados hasta el más humilde presidente municipal, recorran constantemente las regiones encomendadas a
sus responsabilidades; que estén en contacto directo
con las necesidades del país, del estado o del municipio, según sea su jurisdicción; que atiendan las peticiones de las colectividades y de los ciudadanos y que
de esta manera sea como los encargados del poder
vayan a resolver los problemas que se presenten, conquistando la cooperación e impartiendo justicia. Sólo
así podrá realizarse el vasto programa que la Revolución nos ha encomendado. Por si esto no fuera sufi-

ciente, lanzo de nuevo mi excitativa al pueblo de Nuevo León y al pueblo de la república para que los trabajadores se reúnan en un frente único que tendrá un carácter independiente, ajeno a toda traba administrativa y con libertad plena, no sólo para cooperar como lo crea más conveniente en la obra del gobierno, sino para exigir a éste el cumplimiento de los postulados de la Revolución, y aun para que los actuales principios se superen para el futuro y lleven más adelante la reivindicación de los derechos proletarios...

En favor de los expatriados

El gobierno de la Revolución abrirá las puertas de la nación a todos aquellos compatriotas que se encuentran actualmente en el exilio por cuestiones de carácter político, a fin de que vengan a vivir libremente en el país, buscando en la agricultura y en la industria una solución a sus problemas económicos, y en el sentido de solidaridad fraternal de los mexicanos una solución a su problema moral. Ya no se dará más en el extranjero el doloroso espectáculo de los mexicanos desterrados.

Precisando conceptos

Ciertamente que ni hoy ni mañana esos compatriotas serán llamados a colaborar en la administración pública, porque existen en nuestras filas elementos plenamente identificados con la Revolución que poseen todos los derechos y méritos para ocupar puestos gubernativos; pero se dará a los mexicanos actualmente exiliados la posibilidad de convivir nuestras penas y alegrías, pues no serán jamás un peligro para la Revolución, porque ésta se encuentra en marcha y seguirá siempre adelante, apoyada en los obreros y campesinos organizados que, como afortunadamente ocurre en Nuevo León, han pasado lista de presentes a nuestro llamamiento. Por esto la Revolución no puede abrigar ningún temor en el orden político electoral ni en el orden de cualquier situación armada.

Por qué es fuerte la Revolución

La Revolución es fuerte, porque cuenta con la coo-

peración y el apoyo moral y material de los trabajadores
y porque ya ha hecho conciencia en el Ejército Nacional. El país puede otorgar, en consecuencia, completa
libertad política a sus ciudadanos, como de hecho la ha
otorgado ya desde el momento en que los elementos
de las diversas oposiciones, inclusive los partidarios del
señor coronel Tejeda, y hasta los comunistas, han decla-
rado que cuentan con plenas garantías de parte del ejecutivo federal. . .

En el mitin de Gómez Palacio, Dgo., el día 21 de junio
de 1934, dijo:

Si el pueblo me lleva a la primera magistratura del
país, no permitiré que el clero intervenga en forma alguna en la educación popular, la cual es facultad exclusiva del Estado. La Revolución no puede tolerar que
el clero siga aprovechando a la niñez y a la juventud como instrumento de división en la familia mexicana, como elemento retardatario para el progreso del
país, y menos aún que convierta la nueva generación
en enemiga de las clases trabajadoras que luchan por
su emancipación.

La Revolución quiere que en adultos y en jóvenes, en
niños y mujeres, exista una misma noción del deber
para la patria y una tendencia unánime que evite en el
futuro las luchas armadas que han ensombrecido nuestra historia. La Revolución quiere la unidad de conciencias de la familia mexicana, a fin de que tenga una
efectiva libertad de pensamiento. El clero no habla sinceramente cuando se dirige a la juventud. ¿Por qué
hoy pide el clero la libertad de conciencia que ayer
condenaba; ayer, cuando ejercía una dictadura sobre el
espíritu del pueblo mexicano?

El clero pide hoy libertad de conciencia sólo para hacerse de un nuevo instrumento de opresión y sojuzgar
las justas ansias libertarias de nuestro pueblo. Pero tal
pretensión no es posible ya en México, porque afortunadamente existe una fuerte conciencia de clase entre
los trabajadores y porque esta conciencia exige que de
día en día se den pasos de avance en el camino de las
conquistas sociales. Y hoy que ondea en las manos
proletarias la bandera rojinegra, que es el símbolo de
la revolución social, es oportuno que me dirija a los

hombres del poder en toda la república, pidiéndoles que sean consecuentes con sus compromisos para la Revolución y el "Plan Sexenal", que están obligados a cumplir, si su elección emana del Partido Nacional Revolucionario. Es necesario que el "Programa de gobierno" se unifique en el país y que aquellas entidades o pueblos que se hayan conquistado un lugar de vanguardia, ya sea en la organización económica, en materia educativa o en cualquier otro aspecto de la vida social, no queden abandonados, no queden aislados en medio de la indiferencia de todos los demás. Es preciso que la Revolución realice una obra integral y que no haya sector donde no se deje sentir. Los gobernantes deben corresponder debidamente a la confianza que en ellos depositó el pueblo y deben estrechar sus lazos y uniformar su acción en beneficio colectivo. Que los funcionarios del Norte sigan cumpliendo en forma viril y enérgica con los postulados de la Revolución y que hermanen sus esfuerzos con los hombres del Sur.

El contenido del "Plan Sexenal". El campesino

(El día 27 de junio de 1934, arribó el señor general Cárdenas, en avión, a la ciudad de Durango.)

Quiero referirme ante ustedes, por más que lo he hecho en varias ciudades de la república, a los puntos principales que contiene el "Plan Sexenal", que es el programa de acción revolucionaria para el próximo ejercicio constitucional. Trata ese plan, en primer lugar, del programa agrario y dispone que haya tierra para los campesinos.

Que haya tierra para todos, en cantidad suficiente no sólo para resolver el problema económico en cada familia mejorando su alimentación, su vestuario, su alojamiento, y permitiéndole la educación de los niños y aun de los adultos, sino para que aumente la producción agrícola respecto de la que se tenía o podría tenerse bajo el régimen de absorción de la tierra en pocas manos.

Quiere la Revolución que los productos de cada ejido vayan a los mercados de consumo a fin de ayudar a la república entera a lograr un nivel superior de vida. Pero para esto es indispensable que se ayude al cam-

pesino con la construcción de presas y de otras obras
de regadío y con la introducción de más modernos
sistemas de cultivo.

Si la tierra es entregada a los campesinos y no se les
proporciona medios para cultivarla, todo su esfuerzo
será nulo y perdido.

El espíritu de la ley agraria

Es preciso que no sufran desorientaciones los hombres encargados de interpretar y cumplir las leyes agrarias, cuyo espíritu, es forzoso confesarlo, con frecuencia
no se atiende debidamente y cuyas disposiciones no
siempre se cumplen.

En muchos casos se han cumplido mal las leyes
agrarias. Cierto es que existe muy escaso personal de
ingenieros y que esto retarda la repartición de las parcelas. Es por lo anterior, que el "Plan Sexenal" y mis
propósitos personales señalan un plazo de uno o dos
años para que quede concluido totalmente el reparto
de tierras a los campesinos, de manera que sus necesidades queden verdaderamente satisfechas. Pero es necesario establecer nuevas bases para esa participación; de
manera que en aquellas regiones estériles la extensión
de las parcelas sea mayor que en las regiones fértiles y
se encuentre proporcionada a la productividad de la tierra... Y cuando la cantidad de tierra disponible no
baste para todos los campesinos que a ella tienen derecho, que se reparta hasta donde alcance, designando
por sorteo a los jefes de familia favorecidos, y que los
demás sean trasladados a lugares donde existan los terrenos necesarios.

Es indispensable que no se siga pulverizando la parcela, porque de esta manera sólo se sacrifica inútilmente a los campesinos y la Revolución pierde fuerza humana, sostén y arraigo.

El problema indígena

(Después de anunciar sus propósitos de atender al problema obrero, sigue:)

La Revolución quiere que se encuentren formas claras y precisas para resolver los problemas de los indí-

genas, atendiendo no sólo a su educación sino con especialidad a su liberación económica. Hay tribus o conglomerados aborígenes que habitan en zonas inclementes, áridas, a donde los ha confinado el trato inhumano que recibieron de los conquistadores o de los latifundistas. En otras regiones, Michoacán por ejemplo, o Chiapas, donde habitan las razas chamulas, los indígenas disponen de zonas más ricas, generalmente boscosas y susceptibles de industrialización. Es el caso que hay en Durango. No obstante, los aborígenes se encuentran, para la venta de maderas, en manos de compañías extranjeras o de contratistas nacionales que pagan por sus adquisiciones precios viles, obteniendo en cambio muy grandes ganancias. Yo confío mucho en que los hombres del poder, compenetrados de su deber histórico y de las obligaciones que tienen con el pueblo, procuren con honradez y con lealtad que los indígenas se organicen convenientemente, para que contraten sin intermediarios, de manera directa, con los Ferrocarriles o con las empresas compradoras de otra índole, la venta de durmientes, tablones, postes y todos los productos de los bosques, a fin de que estos indígenas disfruten de las ganancias y riquezas que legítimamente les corresponden y de que éstas no vayan a manos que no tienen derecho para percibirlas.

Un llamado al Ejército

(Y después de algunas otras consideraciones:)

Me dirijo en especial a mis compañeros de armas, a los elementos del glorioso Ejército de la Patria, solicitando que mantengan la cooperación que estoy seguro darán al próximo gobierno, porque los soldados del pueblo honrarán a la Revolución y serán los más interesados en que se cumpla y se justifique. Con la cooperación del ejército, a la par que con la de los demás sectores del país, se realizará el "Plan Sexenal", del que depende la elevación de las condiciones económicas del país. Una vez que esta elevación se haya conseguido, será posible atender con mayor eficacia al mejoramiento de las condiciones económicas y sociales de los militares, tanto en alojamiento y vestuario como en instrucción y salubridad e higiene. Obreros, campesinos y estudiantes, así como mujeres revolucionarias: entrego hoy nuevamente mi mensaje: Unifíquense, organícense, para que exijan e impongan el cumplimiento de los postulados de la Revolución.

Juicio general sobre los problemas de la nación

Tocó a la capital del estado de Durango la circunstancia de ser punto terminal de la gira política del general Lázaro Cárdenas. La noche que antecedió a las elecciones federales —la del 30 de julio de 1934— el divisionario michoacano se dirigió a la república, utilizando la radio y trasmitiendo el siguiente

MANIFIESTO A LA NACIÓN

Próximo el día en que el país decidirá de la sucesión presidencial, cumple a mi deber, como depositario de la voluntad de los miembros del instituto político de la Revolución, que supo resumir en su "Programa de gobierno", aprobado en la Convención Nacional de Querétaro, las aspiraciones del pueblo y la experiencia de las administraciones revolucionarias, ratificar la convicción que tengo de que la voluntad del pueblo revolucionario sanciona los principios planteados para la solución de los problemas abordados en el "Plan Sexenal".

El recorrido que hice por los confines del territorio, con mi carácter de candidato a la Presidencia de la República de nuestro Partido Nacional Revolucionario, permitió estudiar la diversa situación de las clases sociales, lo mismo las residentes en ciudades de importancia y en centros industriales que las que radican en las montañas y en las costas. Traté, durante la campaña, de arraigar en la conciencia de las masas el ideario renovador del partido que me postula, y de aprovechar todas las circunstancias para trabajar insistentemente por el agrupamiento de los trabajadores dispersos y por su unificación, a fin de que su participación en el futuro gobierno pueda ser coherente y eficaz para su constante ascensión social.

El problema campesino y su resolución

La situación en que se encuentra la mayoría de las

familias campesinas que habitan nuestro territorio, justifica el deber de acudir a la pronta satisfacción de sus necesidades, por la intensificación de las dotaciones y restituciones ejidales, la liquidación del monopolio territorial y la mejor explotación de los campos; mas para la plena resolución del problema, no basta la simple entrega de la tierra sino que es indispensable que continúe aumentándose el crédito refaccionario, construyéndose nuevas obras de irrigación, caminos, implantación de modernos sistemas de cultivo y la organización de cooperativas que acaben con la especulación de los intermediarios, buscando con esto que la producción agrícola, a más de cubrir las necesidades de los campesinos, demuestre por su calidad y cantidad que la distribución de la tierra viene a superar la primitiva técnica del latifundista, fundada en la expoliación del peonaje.

El recorrido por las entidades ocupadas por considerables núcleos de indígenas, deja la penosa impresión de que la raza de nuestros mayores continúa aún subyugada por la miseria, el fanatismo y el vicio, y que, a pesar del grado de retraso de los aborígenes, conservan éstos la estoica voluntad de sus antepasados y tienen latentes sus ansias de liberación, las que reclaman imperiosamente el esfuerzo nacional para su inaplazable mejoramiento económico y cultural, pues no dejaremos de ser una patria en formación mientras existan en México, con divorcio de siglos y en un estado de desamparo y estancamiento, corrientes étnicas que imposibiliten nuestra cohesión nacional.

Parte de la población indígena cuenta en el país con extensas propiedades, pobladas de maderas industrializables; hoy muchas de ellas explotadas por intermediarios, pero que, organizada la explotación y venta por cooperativas constituidas por los mismos indígenas bajo la dirección del Estado, ayudará a mejorar su "standard" de vida. Y para los núcleos que habitan zonas estériles, se realizará una campaña de convencimiento para desplazarlos a zonas productivas en donde logren mejorar sus condiciones generales.

Propósitos en materia obrera

La situación de los obreros de la industria exige re-

formas de fondo al Código de Trabajo, tal como lo
anuncia el "Plan Sexenal", tendencia que ya ha iniciado la actual administración con beneplácito de los
trabajadores del país. Se fortalecerá, hasta hacerla exclusiva, la contratación colectiva de los trabajadores.
La adopción definitiva de la cláusula de exclusión, que
eliminará la acción de los trabajadores no sindicalizados, no sería eficaz si no se estatuyera, como se ha
estatuido ya, la desaparición de los sindicatos blancos
y minoritarios cuya integración es causa permanente
de conflictos intergremiales. Se creará el seguro obrero,
que está pendiente de decretarse, y se vigilará que se
rodee de las garantías necesarias a todos los trabajadores de la república. Insistiré en la unificación del
proletariado y en el robustecimiento de sus organismos
que tienen por objeto dotar a los trabajadores de la
cohesión que les es indispensable para el éxito de su
mejoramiento. Y siguiendo los lineamientos del "Plan
Sexenal", se impulsará la organización cooperativista
en la república que capacitará a los trabajadores para
la conquista de las fuentes de riqueza y de los instrumentos productivos, que es el ideal de la doctrina
socialista de la Revolución.

Mientras esto se logra, es indispensable realizar los
principios del "Plan Sexenal", que señala la formación de una economía nacional dirigida y regulada por
el Estado que libre a México del carácter de país de
economía colonial, campo de explotación del esfuerzo
humano, donde el aliciente esencial del capitalismo
no es otro que la obtención de materias primas con
mano de obra barata. La formación de una economía
propia nos liberará de este género de capitalismo, que
no se resuelve siquiera a reinvertir en México sus utilidades, que se erige en peligro para la nacionalidad
en los tiempos aciagos y que no nos deja a la postre
más que tierras yermas, subsuelo empobrecido, salarios
de hambre y malestares precursores de intranquilidades
públicas. Es oportuno declarar que el sentido nacionalista de nuestra política económica no representa
una actitud de puerta cerrada o de hostilidad al espíritu organizador de nacionales y extranjeros que pretendan asociar sus esfuerzos con nuestro engrandecimiento, usufructuando nuestras existensias naturales
siempre que se ajusten a las leyes de la Revolución,

respeten nuestro gobierno, y, al acogerse a la protección que la patria les ofrece, finquen su hogar y gocen de sus bienes corriendo la misma suerte que los hijos de México.

Reconocida la educación pública no sólo como un primordial servicio colectivo del que depende la unificación del sentir y de la acción nacionales, sino también como la redención económica de los trabajadores, no puede eludir el Estado su posición directriz en la revisión de los programas de los planteles educativos, lo mismo privados que oficiales. Con acierto previene el "Plan Sexenal" que no se limite la injerencia de las autoridades a la orientación científica y pedagógica del trabajo escolar, sino que también se empeñe por desterrar la anarquía y el caos ideológico provocados por el ataque de los defensores del pasado y de los enemigos de las tendencias de solidaridad social que la Revolución sustenta.

Enseñanza colectivista

Conceptúo que la implantación de la escuela socialista que señala el "Plan Sexenal" intensificará la obra cultural que la Revolución ha emprendido para la emancipación del pueblo laborante, preparándolo científica y socialmente. La enseñanza laica, preconizada por el artículo 3º constitucional, se explica como un triunfo de los constituyentes del 57 al desaparecer de los códigos la imposición de la religión católica como religión oficial, como consecuencia de la separación de la Iglesia y del Estado y del imperio de la ley sobre aquélla; mas la subsistencia del texto y la supervivencia anacrónica de su interpretación liberalista mantienen el Estado como neutral en contra de la función activa que le señala el moderno derecho público, y obliga al gobierno de la Revolución a reformarlo para continuar inquebrantable su compromiso de emancipación espiritual y material de la población mexicana.

Ni la industrialización del país ni mucho menos la economía socialista podrán avanzar sin la preparación técnica de obreros y campesinos calificados, capaces de impulsar la exploración de nuevas fuentes productivas y de participar en la dirección de las empresas. Por ello es necesario estimular la enseñanza utilitaria y colectiva que prepare a los alumnos para la producción cooperativa, que les fomente el amor al trabajo como un deber social; que les inculque la conciencia gremial para que no olviden que el patrimonio espiritual que reciben está destinado al servicio de su clase, pues bien deben recordar constantemente que su educación es sólo una aptitud para la lucha por el éxito firme de la organización. Y consecuentemente con el criterio revolucionario de que corresponde al Estado la orientación educativa en el país, no se permitirá que ninguna agrupación religiosa continúe proyectando su influencia sobre la educación nacional, aprovechando a la juventud y a la niñez como agentes de división de la familia mexicana, con el propósito avieso de convertir a las nuevas generaciones en enemigas de las clases trabajadoras y de las instituciones avanzadas.

Política económica

Interpretando los compromisos contraídos con el pueblo por el órgano político de la Revolución, con mi formal protesta al aceptar mi postulación y con las promesas hechas durante la jornada electoral, me preocuparé por el fomento del intercambio económico derivado de la continuación de la política de irrigación, de carreteras y de nuevas vías férreas y aéreas; por el resurgimiento y nacionalización de la marina mercante; por que la abatida condición biológica de nuestras clases menesterosas y la salubridad de lejanas regiones sean atendidas de preferencia; por que se supriman las barreras alcabalatorias y se estimule el crecimiento de la producción, sin perjuicio de la suficiencia de los ingresos, y por que las funciones de los servicios públicos se asocien al desenvolvimiento de la vida económica, política y social de la Revolución.

Las necesidades del país están exigiendo la construcción de nuevas vías férreas y el mejoramiento de las ya existentes. He recogido la impresión de que el sistema ferroviario requiere una organización general, tanto para facilitar la construcción de otras líneas, como para obtener la baja de las tarifas de fletes, que contribuirán al desarrollo de la agricultura y de la industria. Se hará el estudio necesario del problema, buscando el desarrollo integral, organizando el sistema

en forma que queden garantizados los intereses de los
ferrocarrileros, de la empresa y del público; y para ello
espero contar con la cooperación del mismo elemento
ferrocarrilero, que en distintas veces y por conducto
de diversas comisiones, me ha anunciado estar dispuesto a colaborar en el estudio y resolución del problema, así como ha colaborado hoy, respaldando mi
candidatura.

Política internacional

Declaro que cumpliré con el deber que la patria
impone a todos sus hijos, de velar celosamente por
nuestra soberanía nacional y por el mantenimiento de
nuestras cordiales relaciones con todos los pueblos y,
en particular, con los que nos unen tradiciones raciales
e intereses económicos.

Estricta moralidad de sus colaboradores

No debemos dar por terminados los compromisos
de la Revolución, la que debe usar del poder para la
depuración y renovación constante de sus hombres
y de sus principios, obrando con el mismo espíritu
de sacrificio y de la limpia intención que se tuvo en
los momentos de combate por la destrucción del viejo
régimen. Para ello es indispensable en los hombres públicos la misma honestidad que la impuesta en los
días iniciales. De concederme el pueblo la máxima responsabilidad oficial, seré cuidadoso de que mi gobierno
se distinga por la estricta moralidad de sus colabora-
dores, y me empeñaré en encontrarme siempre vincu-
lado con las necesidades más ingentes del pueblo.

Organización técnica del Ejército

El Ejército Nacional, que ha puesto su esfuerzo
y su vida al servicio de la Revolución y que ha logrado
distinguirse en la preparación y selección de sus jefes,
oficiales y personal de tropa, merecerá de parte de la
administración pública toda la atención necesaria para
que se siga mejorando su organización técnica y social,
sus alojamientos, hospitales y escuelas.

Al dirigir mi saludo a todo el conglomerado que me

ha hecho el honor de designarme su candidato a la Presidencia de la República, también me dirijo a mis compañeros de armas, manifestándoles que si llego al poder pondré todos mis empeños y energías en hacer honor al programa constructivo que la Revolución pone bajo mi responsabilidad, responsabilidad que tengo la convicción de que compartirán conmigo.

Ni luchas intestinas ni compromisos con caudillos victoriosos

La unificación de los elementos que integran los organismos de la Revolución, solidarizándose con el Partido Nacional Revolucionario en este momento histórico de función electoral, marca un nuevo paso en la vida institucional del país sin que se haya presentado hasta hoy el desgarramiento de las luchas intestinas, ni los compromisos de ningún caudillo victorioso, situación que viene a realizar la suprema ambición del histórico mensaje del 28, que auspició a México su entrada a la etapa de los pueblos de verdaderas instituciones. *Durango, Dgo., 30 de junio de 1934.*

Índice

Este libro se terminó de imprimir el día
18 de febrero de 1976 en los talleres de
Gráfica Panamericana, S. de R. L., Parroquia 911, México 12, D. F. Se tiraron
10 000 ejemplares y en su composición se
emplearon tipos Electra de 9:10 y 7:8
puntos. Cuidó la edición Agustín Pineda.

Nº 00913

Fondo de Cultura Económica